萧乾　主编

新编文史笔记丛书

第四辑

42

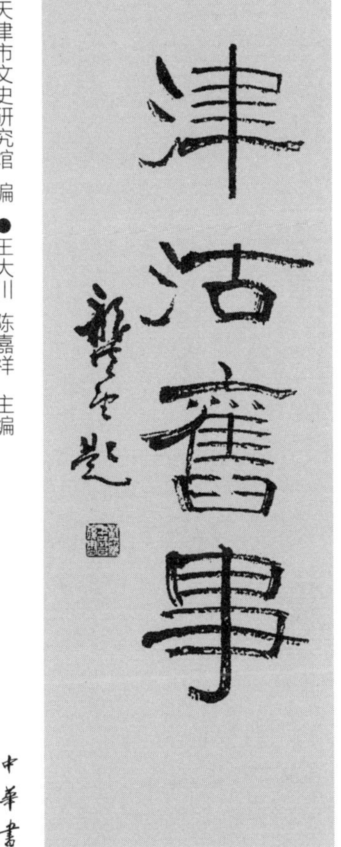

◎天津市文史研究馆　编

●王大川　陈嘉祥　主编

中華書局

目　录

艺苑记盛

文坛记事

百工记巧

礼俗记趣

耆年记往

工商记实

轶事记要

新编文史笔记丛书

序

萧　乾

读书界向来对野史有所偏爱。野史大多是信手拈来的历史片断，且往往出自亲历者之手。文直事核，不虚美，不隐恶，而文笔潇洒自如，意味隽永，自然朴实，篇幅不长；可以摊开来仔细咀嚼，也可供茶余酒后、行旅倥偬中，随手浏览。

鲁迅在《华盖集》中，曾几次对野史表示过好感。在《忽然想到》一文中写道："历史上都写着中国的灵魂，指示着将来的命运，只因为涂饰太厚，废话太多，所以很不容易察出底细来。正如通过密叶投射在莓苔上面的月光，只看见点点碎影。但如看野史和杂记,可更容易了然了,因为他们究竟不必太摆史官的架子。"又在同书《这个与那个》一文中说:"野史和杂说自然也免不了有讹传,挟恩怨,但看往事却可以较分明,因为它究竟不像正史那样地装腔作势。"

全国文史研究馆所编的《新编文史笔记》丛书,内容也属野史杂说的范畴。我们希望这些以亲闻、亲见、亲历为主的轶事掌故、琐闻杂记,写人、事而摒除误会曲解,述历史而符合真实面目。

作为一种短隽有味,文字清奇而又雅俗共赏的文学体裁,笔记在中国具有悠久的传统。它始自魏晋,盛行于宋代。南朝刘义庆的《世说新语》,北宋沈括的《梦溪笔谈》,南宋陆游的《老学庵笔记》,明朝张岱的《陶庵梦忆》,清朝纪昀的《阅微草堂笔记》以及 20 世纪 30 年代初丰子恺的《缘缘堂随笔》,都是文学史上的奇葩。然而,近年来笔记乏人问津。因此,我们出这一套书,也包含着挽回颓势之意。

全国三十二所文史研究馆拥有雄厚的稿源,两千多位馆员和各馆联系的社会人士,都是丛书的撰稿人。他们都是文史界的耆宿,见多识广,阅历丰富:有的反对过帝制,有的在"五四"运动中扛过大旗,他们目睹过军阀的横行霸道,也经历过艰苦卓绝的八年抗战。这些历尽沧桑的饱学之士,他们的所见所闻,都是弥足珍贵的史料。

本丛书分辑出版，分别由各地文史研究馆编辑，内容亦以本乡本土为主。因此，各册势必具有浓厚的地方色彩。

本着笔记固有的传统，所收各文题材不嫌庞杂。举凡与文史有关的政治、经济、军事、文化、社会等方面，或记闻见杂事，或叙往昔交游，或忆社会百态，均在搜罗之列。时间跨度则自清末以迄1949年为止。这正是中华民族从闭关自守到走向世界，从落后羸弱到奋发图强，是天翻地覆、风起云涌的大半个世纪。其间，发生过多少可歌可泣的事迹，涌现过多少杰出的人物。以这一时间跨度为背景题材写出的笔记作品，必然是内容最为丰厚的。

在选稿标准上，我们坚持史料一定要真，内容要新；既要防止以讹传讹，也力避炒冷饭。在写法上务求短小精悍、生动活泼。每篇以千字为度，希望借此在文风方面，提倡一下简约。在版式上，则想做到既利于阅读，又便于携带。

恳切希望文史界方家及广大读者，不吝赐正。

周恩来派来天津的“小伙计”

王　辉

1945年日本投降后，我在天津市三中(现一中)读书时，来了一位国文教员龚伦之，是中共地下党员。他上课时起先并不讲国文，而讲起抗日战争历史。先从“九一八”事变讲起。讲了张作霖如何遇害，土肥原、川岛芳子如何进行特务活动，张学良撤回关内如何戒毒，东北军如何怀念家乡，如何发动西安事变，共产党又如何积极抗日……一直讲到抗战胜利。他像讲故事一样，有声有色，娓娓道来，一下子把我们吸引住了。我正是在他的启蒙下，阅读进步书籍，于 1945 年 12 月参加地下民青，后来又入了党，走上了革命道路。

龚伦之系化名，原名龚理业，现名龚炜，原系天津中国实业银行的练习生。于 1937 年 5 月到山西参加革命，后奔赴延安。先在红军大学，复调鲁迅艺术学院当话剧演员兼做党的工作。龚炜的伯祖父龚心湛(字仙舟)曾是北洋军阀安福系的老官僚，当时在天津当寓公。因有这种社会关系，1940 年秋，周恩来从重庆回延安时，曾召龚炜去他的住处谈话，决定派龚到日军占领区天津工作。周说，龚仙舟是北洋军阀安福系政客集团的主要成员之一，也是段祺瑞执政时期的要员。他虽然随着段祺瑞失势而失势，但在华北政治界还有一定的潜在势力。我们可以利用他的地位和社会关系开展工作，云云。

1940 年 10 月，龚炜乘卡车离延安赴西安，转至宝鸡十八集团军兵站，然后抵重庆。原定让龚炜乘飞机去香港，再转天津。为避免买机票暴露身份，周恩来让徐冰将龚炜安排在一位面目隐蔽的同志家里居住，并令龚写信给与龚仙舟有过来往的许世英请协助赴津。许世英时任国民党黄河治理委员会委员长。龚写好信后送请周过目。周说给这样人写信要用文言文，不宜用白话，遂动手作了修改。龚将信送许后，许不念旧谊，以“无能为力”予以拒绝。龚只好搬回红岩村继续等待。

1941 年 4 月的一天深夜，周恩来召龚炜长谈。周说，从现在的形势看，你要尽快出发，既然买不到飞机票，只好从陆路去香港。路途中为应付国民党警宪特务的盘查，要准备好答话材料。你的身份可装扮成跑单帮做买卖的小伙计。做什么行业的买卖，要对这个行业的情况有所了解，以免一问三不知，造成麻烦……

经过长途跋涉，龚炜抵香港，与当时在港负责秘密工作的领导人接了头，会见了龚饮冰，确定龚饮冰为龚炜的直接领导人。

1941 年 6 月下旬，龚饮冰与龚炜乘英轮先到上海。龚饮冰留在上海工作，龚炜复乘英轮抵天津。后因太平洋战争爆发，上海的地下党组织遭到日特破坏，龚炜与龚饮冰失掉联系。后又与天津地下党接上关系，参加天津地下党工作。1946 年 8 月撤回解放区根据地，1949 年进城在天津工作多年，后调京工作。

周恩来与张克忠

张绍祖

周恩来与张克忠早年都是南开中学的学生。周恩来于 1913 年秋季考入“南开”，张克忠比周恩来低两届。张是歌咏队队员，喜唱男高

音。周是新剧团主要演员。每当新剧团上演话剧时，歌咏队就在幕间插唱歌曲。在交往中，他们两人逐渐熟悉了。

1919年9月25日，南开大学成立并举行开学典礼，周恩来被录取，入文科班学习。张克忠中学毕业后，原想升入南开大学，但因“南大”在草创阶段，数理科还不具备招生条件，只得投考唐山交通大学。1922年，南大迁入八里台新校址后，克忠重新考入南开大学最早的文理混合班。1920年11月，周恩来与李福景靠“严范孙奖学金”资助赴法留学；1923年，张克忠经张伯苓校长推荐，以年龄最小、学历最浅，考分却最高的条件，获南洋兄弟烟草公司董事长简氏兄弟资助赴美留学。1927年张获得美国麻省理工学院化学工程博士学位，以其创立的“张氏扩散原理”受到国际化学界的推崇。以后十多年，他们两人未曾相见，但间接有所了解。

1937—1938年，张克忠与周恩来先后来到重庆。周恩来同志在紧张的工作之馀，多次去沙坪坝南渝中学看望张伯苓校长。张克忠也常到张校长家，与周恩来多次相见。张克忠家住津南村23号，和张伯苓、伉乃如家是邻居，周恩来也曾到张克忠家叙谈，称克忠爱人王端驯为“五四小朋友”。

1938年是南开大学成立十九周年。在渝校友齐聚南渝中学庆祝时，周恩来偕邓颖超前来参加，克忠和夫人端驯也来参加。周恩来提议当年在天津参加“五四”运动的校友们合影。王端驯、陈学荣、王文田等“五四”时还是小学生，这时站在一旁观看，周恩来笑哈哈地招呼说：“五四小朋友也来参加吧！”大家一起合了影。

1940年冬，蒋介石掀起反共高潮。为此，周恩来借用张克忠住所宴请南开校友，以“抗战、团结、进步”为中心，分析了抗战形势，讲述革命前途和党的方针政策，开展党的抗日民族统一战线工作。

1947年，张克忠重返天津，继续任教于南开大学。建国后，他曾当选全国及天津市人民代表、全国高等教育委员会委员等。

宋哲元幼承母教

李腾汉

抗日名将宋哲元将军刚出生不久，其父宋湘及就外出谋生，长期无音讯。其母沈世尊为生活所迫，于哲元三岁时，带他回山东省乐陵县后颜村，投奔她惟一的弟弟——清末廪生出身的沈兰棻。当时兰棻为养家糊口，正在乡中教村塾为业，生活也很拮据，且已娶妻，家无馀房。沈世尊只好携哲元住到村前看场用的破茅屋中栖身，赊购乡人所种棉花，纺线织布到集市出售，获蝇头微利，维持母子二人的生活。即使如此，

还需常到村外挖野菜为食。家贫常不能举火，沈世尊常常一次做出可供几天食用的干粮，用阳光晒热了给年幼的哲元吃。

宋哲元从小以糠菜为粮，穿妈妈亲手纺线织布、缝制、染成黄色的土布衣；他自幼助母劳动，历尽生活的艰辛。沈世尊是个性格坚韧刚强、极能吃苦耐劳的农村妇女。在地无一垅、房无一间的困境中，她从不怨天尤人，也不轻易求助于人，并经常告诫哲元：“人不怕穷，就怕志短、骨头软。对人要诚实，心得搁在当中，做堂堂正正的男子汉。”

宋哲元九岁那年年底，有邻村同乡自桂林探亲，将宋湘及托带的一个包裹交给沈世尊后匆匆离去。她打开一看，其中都是些少女穿用的鲜艳服装，还有金银首饰和一些银两，怀疑不是丈夫捎来之物。待从舅读书的哲元放学回家，沈世尊有意试探哲元，问他怎么办？哲元说：“既弄不清是不是爹捎给咱的东西，咱不能要，得问问人家去。”其母非常高兴地说：“这才是俺的好孩子，咱家虽穷，可要穷得有志气。”

沈世尊即携哲元，将包裹送回邻村，并向捎物人说明情况，对方才发现误将他人托带之包与宋湘及托带之包弄混，宋家母子送回之包是亲戚托带办喜事用的东西，万一丢失会误人大事。那人千恩万谢，并拿出些钱来酬谢，哲元坚决不收。其母则要回湘及托带之包，当面打开，见其中只有几件旧衣，几本书，几串铜钱和一封家信，验明确系己物，才拿了同哲元一起回家。宋家母子贫不贪财，退还他人贵重财物的事，很快传颂乡里。

周学熙“养病”

周慰曾

1915年7月，袁世凯因有帝国主义撑腰和筹安会吹捧，在已取得相当于终身制总统地位时又想做皇帝。周学熙时任财政部长，虽受袁世凯知遇多年，却也在反对帝制之列，坚不附和筹安会，并秘密上书劝阻，认为帝制必败。袁世凯初则否认，后即避而不谈。周学熙因之屡请辞职，不准，遂请病假，袁世凯特遣医官来寓诊视，周因请准予住入北海公园养病，获准。乃以一仆自随，不与家人戚友通，住入濠濮涧内。

当时，袁世凯为了实现帝制，已不择手段，排斥异己。袁与周学熙相知多年，深知其在当时上层人物中有相当声望，又恐周为反帝反袁者所拉拢利用，故遣医官诊视以探虚实。准其住进濠濮涧养病，实即予以软禁。而周学熙也深知袁世凯残暴多疑，既惧宵小诬陷又怕黑手阴谋，见医官诊视，遂请入禁地养病，藉与外界隔绝，以避横祸而图自保。

1916年1月，周又移至香山静宜园。同年4

月,因袁世凯被迫撤消帝制,周始解除软禁,获准辞职。据说,周获悉可以离京后,出于谨慎,傍晚与仆人换穿服装,悄悄离开香山静宜园返回天津。以堂堂财政部长竟被软禁长达八个月之久,获准辞职又化装离京,诚北洋政府时代一大奇谈。

张廷枢将军

张开达

张作相的次子张廷枢,是东北军一一二师师长。父子均为东北军名将。

张廷枢二十岁时即在张学良的手下任上校团长,后被张学良选送日本千叶县步兵学校学习,两年后归国升任少将旅长。"九一八"事变后,东北军撤进关内,张旅驻北京南苑,张廷枢升任师长,是张学良将军麾下装备精良的独立师之一。1933年3月,一一二师奉命开往长城要塞古北口抗击日本侵略军。当时承德失守,日军在飞机、大炮、坦克的掩护下进攻长城要塞古北口。张廷枢与全师官兵斗志旺盛,浴血苦战二十馀日后,终因部队伤亡过大而失守。

一一二师撤到宣化休整,张廷枢与冯玉祥在张家口的民众抗日同盟军建立了密切联系。在冯玉祥部队工作的中共党员张公干、李平一等同志被派往一一二师做团结抗日工作。从此，张廷枢在党的帮助下，逐步走上革命道路。

1935年，东北军调甘陕五省“剿共”，张廷枢向张学良辞职，并声泪俱下地说：“日本人侵占我东北，家乡父老生活在水深火热之中，我们却跑到这里来打内战，实不应该。将来东北军打回老家去，我张某随叫随到。”当即辞职回天津家中。

1937年8月，张廷枢在太原召集东北军旧部及东北流亡学生，在周总理帮助下，把这支一百多人的队伍拉到晋东南八路军总部，授予八路军第一游击纵队的番号，张廷枢任纵队司令员。

第二年秋，张廷枢到延安抗大学习，不久他的肝病发作，经中央批准去香港治病。日军占领香港后，他同张学良胞弟张学铭一起回天津。1949年病死于天津寓所，年仅四十五岁。

菊国人瑞孙菊仙

齐植璐

孙菊仙，名濂，号宝臣，清道光二十一年(1841)正月元旦生于天津一业商家庭。自幼酷好戏曲，又性喜练武。少年时赴都应武闱试，十八岁为武秀才，随提督陈国瑞转战东南，参与镇压

太平天国革命,因功保至游击,获三品衔。后由于业馀爱好而弃官入都,加入京剧班社演唱。拜投陈长庚门下,得其亲传,又兼学余三胜所长,融会贯通,独具一格。他嗓音宽亮,唱腔苍劲,能以气行腔,吞放自如,世称“孙派”。清同治、光绪年间,与谭鑫培、汪桂芬齐名,并称“老生新三杰”。

孙下海未几,即被选入升平署为内廷供奉,在宫中十八年, 甚受慈禧称赏, 曾赏赐三品顶戴,被称为异数。

庚子年,八国联军入侵北京,其寓所被毁。乃移家去上海,经营剧班,久演不衰,为旅沪津人所赞扬,因同里关系,昵称为“老乡亲”。从此,“老乡亲”之名传遍南北,而真名实姓反为其所掩。

辛亥事起,重至北京。有感于局面已非,遂以唐朝乐师李龟年自况,自号“学年”。民国之后,即很少露演。但平日慷慨好义,凡水旱赈灾、养老恤孤之事,都乐为之,遇有义演,亦从不推却。

晚年倦游,才又回天津故里。经常与沽上绅商各界旧识相过从。严范孙器重其人品,尤常与往还。民国九年(1920)孙菊仙八十寿辰,严曾寿之以诗:“少年仗剑去从戎,晚岁赓歌帝眷隆。烂熟五朝闻见录,光宣而上道咸同。”

孙生平有两不愿,一不愿灌留声机唱片,二不愿照像留影。但在民国十五年(1926)天津绅耆重修文庙落成，严范孙特邀孙同游泮水，即合摄一影留念。民国十七年(1928)孙逢八十八岁寿辰，严发起三津友好为他公祝“米”字寿，又拍一合影。严特为题语如下：“戊辰二月十五日，余偕林君墨青、戴君韫辉诣前供奉孙叟菊仙之寓，属韫辉为余三人合摄一影，叟初不许，强而后可，既而曰：‘综计吾一生惟应日本友人辻君之情，摄影一次，今又破例矣。’越数日，墨青持照片来，属余识。”可见他们友谊之深厚。

孙支持林墨青在天津社会教育处所致力的戏剧改革工作。曾合作在草厂庵组鹤鸣社，以为提倡，并为广智馆扩建楼房筹资。孙还以九十岁高龄，参加在春和戏院举行的一次义演，足见其精神之可嘉。

宗谭的夏山楼主

王世续

韩慎先先生，别号夏山楼主，博学多才，喜爱书画，是古文物鉴赏专家。1927 年曾赴日本大阪举办个人收藏文物展览。建国后任天津文化局顾问，天津艺术博物馆副馆长等职。

先生喜爱京剧艺术，尤为崇拜谭鑫培，曾从陈彦衡先生学京戏，研究谭派艺术。韩先生曾对我说：“陈老师很欣赏我的嗓音，认为很像谭鑫培,说我领会力强。若不是由于我的家庭原因,他将劝我'下海'。"他在陈彦衡的鼓励与支持下,试灌了两张唱片,极为精彩,受到欢迎,销路可观。随后又陆续接受几家公司邀请,录制唱片,有《朱砂痣》、《定军山》、《洪羊洞》等近二十张。当时唱片公司录制京剧唱片固然对保留资料、推广京戏起到过作用,但公司终究是为了营利。对韩先生这样一位京剧票友,各唱片公司竞相邀请,足以说明他受欢迎的程度。

韩先生在各种场合参加过的清唱甚多,但粉墨登场,一生中只有两次:一次是为抗美援朝捐献义演,在天津中国大戏院演出《李陵碑》;第二次在天津干部俱乐部一次晚会上演出《乌盆记》选场。

韩先生对京剧唱腔艺术的刻意钻研确有独到之处。陈彦衡先生讲谭派咬字如猫儿衔鼠,咬不死,也跑不了,这一点韩先生做得恰到好处。他曾说:"唱戏也颇有大块文章好作";"唱戏同绘画一样,要先入境而后舒怀";"唱戏忌俗,做作和自我卖弄均属俗"。又说:"文似看山不喜平,唱戏更要有丘壑。"韩先生的唱片,对不同剧情、不同人物在唱腔变化上是遵谭派的艺术特色而体会要领的,例如《朱砂痣》描写双州太守韩起凤在战乱中妻离子散,而在洞房中又得知续娶江氏原有夫,因贫被卖的情况,便仗义赠银,遣其返家的故事。这段唱是以了解江氏哭泣原因,用观察与委婉劝慰为基调。而《定军山》的黄忠唱段,则是以“老当益壮,临阵请命”为基调。以上两段,因内容基调不同,所以在语气、力度上也不相同。《李陵碑》与《乌盆记》有同样的反二簧唱段,前者“苍凉悲壮,哀而不伤”,后者“凄凉悲惨,如泣如诉”。因此,歌乐在润腔的劲头、繁简上也各有侧重。韩先生是完全按照谭派的真髓而演唱的。

1962年，齐燕铭同志在中南海主持了夏山楼主等人的唱腔艺术欣赏会,周恩来总理、陈毅副总理等中央领导同志亲临参加。这充分说明韩先生京剧艺术造诣的精湛与影响的深远。

韩慎先的慧眼

崔　锦

夏山楼主是无人不晓的一代名票。他师承陈彦衡,学谭派而卓然成家。与余叔岩、梅兰芳、王瑶卿、王凤卿、杨宝森等京剧名家过从甚密。然而，从他的别号到他的归宿都和文物结下了不解之缘。

夏山楼主原名韩德寿,字慎先。1897年生于北京,1912年移居天津。其父韩麟阁先生喜收藏文物字画。韩慎先自幼受家庭熏陶,长于鉴赏书画。在他的收藏品中,有一幅王猛的《夏山高隐图》,韩极喜爱之,故自号夏山楼主。他曾以二指

指着自己的双目对我说："我生就一双慧眼，一生的事业都在这两只眼上。"1950年，他经梅兰芳先生举荐，被聘为天津市文化局文物顾问，担任文物鉴定和协助海关检验出口文物工作。

韩慎先人品高洁。敌伪时期，闭门谢客，不为日本侵略者工作，靠变卖所藏珍爱的书画维持生活。

韩慎先的眼睛如何犀利，我只消举两个例子就清楚了。他在担任天津市艺术博物馆副馆长时，曾从一位收藏家手里买了三册宋人画册，其中真伪混杂，他慧眼识出了宋人的《西湖争标图》、苏汉臣《婴戏图》、马远《月下把杯图》、杨补之《梅花》等宋画中珍稀之品。这些珍品的入藏大大提高了天津市艺术博物馆的知名度。他重视名家作品，但只要是好画，即便是无名画家之作，也会被他的慧眼相中。1961年，我随他去北京收购文物，他到宝古斋选画，往往要挑灯夜战。宝古斋傅凯臣、靳伯声、张采臣诸先生把好坏真伪混杂的画一一拿给他看。他在千百张画中筛选真品，犹如沙里澄金。此行，他发现了画史上没记载的万邦正、万邦治等明朝院体画家的作品，为美术史填补了空白。

鉴定书画，时代风格和个人风格固然重要，但熟知一个画家的题款、印鉴特征对鉴定字画也是必不可少的。韩先生对知名画家印鉴的笔划、残破情况了如指掌，所以，打开画后能立即断其真伪。

韩先生为人谦和，但在学术研究上却极为严肃，对不同的意见，丝毫也不肯苟同。1959年，天津市艺术博物馆举办青铜器展，他和顾德威先生对一件提梁卣的年代看法不一。顾先生认为应放在周代，韩先生看后叫另一位同志把卣摆到商代。我们说："这是您的好友顾德威先生的意见。"韩先生仍一点也不通融。后来，顾又让把卣摆回周代，如此反复多次。张老槐先生说："两个人都是凿方窟窿眼，你去把它放到商周之间，别让他们再倒过来，倒过去了。"

1962年，文化部组成由张珩、谢稚柳、韩慎先参加的书画鉴定小组，计划对全国博物馆的藏品分级审定。韩先生以自己可以一展长才而异常兴奋，却不幸于当年5月1日患脑溢血逝世。如今，韩先生已仙逝三十年，仅以此文表达我对他的悼念之情。

京韵大鼓奠基人刘宝全

张鹤琴　王英奎

刘宝全(1869—1942)，曾拜在京剧名角孙玉卿门下学老生。十五六岁时，已学会七八出戏，偶尔登台演唱，得到不少彩声，后随孙赴沪，也获好评。

他身躯较高，穿起官中行头，露着靴筒，很

不好看。想自己购置，一打听，价钱太高，买不起。这时，他一向好强的心灰了一大半。事有凑巧，有一次演《落马湖》，他饰黄天霸，把“为何不抬起头来？”错念成“为何头不抬来？”台下轰然倒好，使他羞愧万分。一气之下，离开梨园界，拜大鼓名家王庆和、霍明亮为师，学习木板大鼓，进步很快，声誉鹊起。

在一次堂会上，他与京剧著名老生谭鑫培相遇，谈得很投机。不久，接到一份请帖，请他到谭家小酌，他欣然前往，对谭执弟子礼。席间谭给他介绍汉剧改京剧，在吐字发音上经历的艰难困苦。并谈到梅巧玲以苏州软语改京腔所下苦功。最后，谭单刀直入，劝刘改变木板大鼓的家乡口音为京腔，说只有这样才能把大鼓唱好。一席话使刘顿开茅塞，归来后即与弦师共同研究，精心设计，把师傅传给他的乡音土字、天津卫的发音，一律改为京音，做到尖团分明，吐字发音准确。到1900年以后，京韵大鼓的雏形已经形成。

在演唱内容上，他也做了大胆改革。把从师傅学来的八十余段，经过一再筛选，只剩下二十七段。有些内容俗而伤雅，词句粗糙，如《独占花魁》、《挑帘裁衣》等放弃不唱了；有的慷慨激昂，绘声绘色，趣味性浓的，如《大西厢》、《丑末寅初》和一些三国、水浒段子，就保留下来。他最爱唱的是武段子，使用身段与唱词相结合，更使人观感一新。他有演京剧的基础，更学习京剧名武生杨小楼的工架，二人在艺术上不时交流。与著名京剧老生余叔岩也很要好。有一次余演《宁武关别母》一场，有个身段，刘在台下学会了。刘演唱新编的《一门忠烈》，余在场，忽然发现刘的表演身段，正是自己的动作，惊异之下不禁说："坏了，我丢了一手！"

"幕宾艺人"张寿臣

啸　峡

1923年，当时仅二十五岁的相声名艺人张寿臣有幸与前辈万人迷(本名李德锡)合作，在天津南市"燕乐戏院"演出，为鼓王刘宝全先生的京韵大鼓担任"倒二"相声。张寿臣是以学生态度来为李捧哏的。万人迷见他年青有为，勤奋好学，就提出互为逗捧，不同的节目，谁逗哏合适就由谁逗，轮到谁捧，都要认真负责。因而，他们合作后，捧逗相得益彰，互为映衬，深受观众欢迎。许多传统节目如《大审案》、《全德报》、《打灯谜》、《交租子》等，经过他们的加工创造而有所发展。万人迷与早亡的师弟张麻子(本名张德泉)合作时，曾赴沪"大世界"演出，获得"粥李豆腐张"的称号，即李先生善逗《粥挑子》，张先生善逗《豆腐堂会》。张寿臣与李合作时，接过了他们的表演技艺，努力钻研逗捧艺术，因而创造了又

一个“粥李豆腐张”的新局面。

值得提出的还是他们曾与刘宝全、荣剑尘、金万昌等鼓曲名家一起去奉天小河沿张作霖帅府去演“暖寿堂会”。李先生先为张寿臣捧《八扇屏》,体现出“贯口”的基本功;后又由张为李捧《汾河湾》,滑稽醒目,引人发笑。李与张合作中,曾反复研讨每段节目的逗捧问题。万人迷本拟让张逗哏,张以“我不愿意学旦角的唱做,走出来也不像”,因而由李逗张捧。后来张与侯一尘合作演此时,也让侯逗哏,理由是“我腻歪学女人,扭扭捏捏真别扭”。

自 1925 年起,张与万人迷分档后,仍应邀参加“帅府堂会”,与张氏全家很熟识,少帅张学良很欣赏他的艺术和人品。后来,张学铭先生也常请张寿臣参加一些权贵家的喜寿宴会,除听张寿臣和伙伴的对口相声,还要请张说单口笑话。然后,谈天说地,共议爱国之道,形成了相知相煦的情谊。学铭先生曾说:“有时候,我们跟寿臣聊天,他出其不意又言之成理地抖个包袱儿,同样能把全家逗乐了!”还称赞张寿臣学识渊博、举止文明,不愧为幽默大师。侯宝林先生也由衷地说:“张寿臣先生能把帅府那个阶层的听主说乐了,而且是对答如流,谈笑自若,可称是高级幕宾。”

默默无闻的京剧教师王甫廷

李秀嫣

王甫廷（1895—1976），原籍北京东城外近郊，家境贫寒，九岁时，在北京一个戏班学习昆曲和京戏。戏班不收女孩，全是男童。教学方法是心传口授。启蒙时，所有学生都必须一齐学文武场(吹、打、弹、拉)，生、旦、净、末、丑全面行当，叫做“坐课”。教师非常严厉，每学一戏，先讲剧情及来历，然后从出场、道白、唱腔到锣鼓经同时讲授。复课时，如一人有错，全体挨打。学生们因怕挨打，常常一起复习，互相提示，所以谁也忘不了。经过两三年基础训练后，便因材施教，分科教授。成绩愈佳、前途有望者，教师要求愈严，所受责难也就愈多，学成后都是全面人才。学童们都居住一起。那时北京都烧火炕，往往睡至半夜，被师傅进来叫起，掀起炕席，用喷壶将炕喷湿。据说这是为了保养嗓子。起床后不许解手，不准戴帽子，一律身着蓝布大褂、白布袜、黑鞋，由师傅带队去皇城根喊嗓子，直到喊得喉音宏亮，不再想解手了，才列队回去洗漱用餐。平时的伙食就是小米粥、窝头、素菜，可逢年过节却很丰盛。

王甫廷后来分科时专攻“青衣”，九岁入班，

到十六岁出科,共学戏七年。那时学成出科,都要演出一出师傅和自己都认为拿手的戏,所有梨园同行都来观看、评议。王甫廷演的是头本《虹霓关》。先生回忆说:“当时我在后台化妆完毕,等待出场。师傅兴高采烈跟着把场,指望我给露一手,我自己也信心十足。不想帘子一打(那时舞台尚无帷幕),我一出场,台下掌声忽起,一下子什么全忘了!再看台下一片漆黑,我一句台词也想不起来了。师傅一见气急。当我转回后台,迎面就挨了一顿藤条。梨园界把我这种登台忘词的情况叫‘怯场’。此后我就改成文场,专拉京胡。”功夫不负有心人。到二十岁后,先生开始教戏。如京剧第一代著名坤伶雪艳琴,著名青衣蓉丽娟、金友琴、金又琴,都是他的得意弟子。约在民国十二年(1923),先生迁津后,携徒金又琴组班,常在天华景、天风舞台(新中央)两园演出。他仍然教戏,天津近代名票杨慕兰(近云馆主)、丁至云、童芷苓等,都曾由先生教授。其他各个行当,求学者甚多,可谓桃李满门。

我少时从师金又琴,不久金被邀去太原,遂由王老代金授课。先生教学一丝不苟,在吐字、行腔、音韵、尖团字等方面,使我受益匪浅。

1976 年地震时,先生已逾八旬,不耐户外风霜,病故于津。

华世奎拒任伪职

刘炎臣

近代著名书法家华世奎，是一位忠于清王朝、终身保留小辫的遗老。他从青壮年服官清廷，初任书写的“中书”，继入军机任掌管文书的“章京”，再升为“答拉密”即满洲语“章京领班”，最后擢为“内阁阁丞”，位列卿贰，名重一时。

1911年辛亥革命，清帝溥仪逊位，华世奎悄然返归津门故里，从此自署“北海逸民”，度其林下生活。民国成立后，虽屡有人邀之再出，终未能改其高卧东山之志。1917年张勋拥溥仪复辟失败，华世奎极力为清室开脱罪责。1922年溥仪大婚，华世奎躬往祝贺。1924年溥仪被逐出宫，华世奎郁郁不欢。1925年溥仪离京来津，先后住在张园和静园，华世奎没有忘掉与溥仪的君臣关系，时去“行在”，叩请“圣安”。这些动态都说明了华世奎顽固忠于清室的保守思想，为人所讥笑。

但是，当1931年溥仪被日寇挟往东北建立伪满“帝国”时，有人劝华世奎给溥仪“上贺表”，他则一改故态，风趣地谢绝说：“掌柜的是旧人，字号改矣，可以不必。”1937年“七七”事变天津沦陷后，又有人劝华世奎出头维持天津市面治

安。他说："吾老矣，无能为力，风烛残年，蜡头无几，何必添彩。"再一次婉拒参与日伪的活动。言为心声，就此而言，此老晚年志洁行廉，保存了中华民族气节，令人钦敬。

1942 年春，华世奎病逝，遗有手书的端楷诗稿，其后人为之结成《思闇诗集》，影印行世。

回族书画家曹鸿年

李俭棠

书画家曹鸿年(1897—1956)，回族，字恕伯，号"如心居士"，晚年又自号子龙。

先生于 1936 年前后，曾在天津东马路青年会书画班授课，自编讲课教材。其教材课题都以联语为题，并且联句两旁以行草写出边跋，用以说明联句的创作意图。如："书神人品相依处；心印手追映带时。"此联边跋则引用了蔡邕笔论和欧阳询的书法经验理论和运笔技巧。

先生晚年曾见清人俞曲园先生以古文字形之左右相等、笔迹从正、反两面看字形一样的字作诗，乃师其法以书联语。如：

[illegible]（心中文字宗唐宋）

[illegible]（山上林泉入画图）

先生曾赴天后宫向一位道士学习太极剑，

有的人就讥笑他:"以一个清真教徒竟然去拜道士为师……"而先生对此毫不介意,并声明:"我师其武艺以强身,非学其信仰有何不可?"讥笑者遂缄口无言。

先生对求书、索画者,一般均按润例收费,但对至亲好友以及伊斯兰教掌教则不计较。我记得当时伪华北政务委员会主席缪斌、伪山东省主席马良,均来函索求字画,但先生一律置之不理。马良还是用自书条幅向先生交换,借以结文字交者。但先生均弃之床下的废纸堆中。在向我述说这一过程时,他曾愤然地说:我一生爱国,岂能与汉奸、奴才为伍耶!

先生还曾赴西安市出席张大千先生组织的一次全国书画艺术家的大会,会上先生现场应景吟诗作画,挥笔书写,被张大千先生称赞为"江北才子",在后来的书信往还中还对先生称颂道:"阁下书画足为北人吐气。"

先师曹文骈先生

邢　捷

虽然我的老师、书画鉴定专家曹文骈先生已驾鹤多年,但我们师徒二人相处时的往事仍历历在目。曹文骈先生生于1915年11月20日,别名书农,北京通县西集人。因他大排行行八，故长辈人以曹八称之。先生晚年患耳疾，故自号聋翁。先生于解放前在泰康商场经营国华社字画店。自1961年起在天津市文物公司工作。先生中等身材，五十岁左右时背已微驼，发似白雪。我曾随先生学艺十馀载，他不仅教专业技术，更将如何做人放在首位。

曹文畊先生擅长对近百年书画真伪的鉴定，其眼力之高深为同行所称道。先生经数十年之摸索，对近百年来每位书画家、篆刻家的书风、画风、篆刻特点了如指掌。要说身怀绝技的话，则主要体现在两个方面：一是先生鉴定卷轴画时，只需画面露出少许，便能断定作品的作者和真伪。二是他鉴定名家所绘折扇时不用打开扇子，只凭折叠处暴露的部分便知作者是谁，一时称绝。即使是风格相近的，也能准确分出哪是吴昌硕，哪是赵子云，哪是程瑶笙，哪是柳渔笙等。我曾多次与先生打赌，但定输无疑。另外，他鉴定作品是赝品后，还能说出是谁人代笔，或是谁人作伪。正因为如此，遇有近百年书画真伪有争议时，常请先生拍板定夺。

曹文畊先生不但精于书画鉴定，并擅长绘画和书法。究其原因大概有三个：一是先生“眼富”。经先生鉴定的名家作品不计其数，可随时借鉴。二是先生“手高”。先生绘画起点高，修养深，绘画、书法均私淑吴昌硕。三是先生“机遇”好。先生因职业之便，有机会与溥心畬、张大千等人接触，并通过观看他们作画来领悟用笔之道。先生作画纯属自娱，不轻赠人，稍不如意，废掉重来。我常于晚上到先生家观其挥毫作画，也正是在先生熏陶之下，对国画发生了浓厚的兴趣。先生曾赠我《葡萄》等作品，造诣颇深，功力不凡。做为一个书画鉴定工作者，能书会画有助于书画鉴定水平的提高。

曹文畊先生待人诚恳，耐心传艺更为我难以忘怀。记得在我二十岁时收购了一件《绢本黄山寿青绿山水》，正当我独自欣赏时，先生说："该打屁股。"后经先生指点，我才恍然大悟。原来此画是按真迹制版印在绢上，设色部分以手工所为。吃一堑，长一智，在以后的工作中再未发生过此类事。

曹文畊先生不幸于 1977 年 5 月 15 日病逝，终年仅六十二岁，无疑是书画鉴定界一大损失。

陈调元其人

杨文恺 遗作 曹明贤 整理

陈调元(1886—1943)，号雪暄，河北省安新县人。幼年亡父，家道贫寒，靠母、妹织席为生。十八岁考入袁世凯在保定办的北洋速成武备学堂。入民国后，成为新、旧军阀中的人物之一。

1917 年 7 月冯国璋以副总统到北京代行大

总统职权，调江西督军李纯继任江苏督军。陈调元与随李来苏的齐燮元、刘鸣銮等均是陆大同学，彼此结合至为亲密。于是陈得以升任旅长、师长，并为徐淮海剿匪司令，驻防北徐州。由于他对长江各省的人事熟悉，曾充任江苏代表，往返于赣、鄂诸省间。1920年李纯死，齐燮元继任苏督，齐对陈更为倚重，擢升陈调元任苏、鲁、豫、皖剿匪总司令。迨杨宇霆代齐督苏，陈于是对北伐军、孙传芳两方面都设法联系，期望时机一到，即驱杨。经过我从中联系，他与孙传芳合作了。

1925年10月，孙传芳由杭出兵，很快攻下上海、南京。是时陈调元的军队早在南京城内外及江北浦口、乌衣一带布置妥当，奉军分别被陈军缴械。孙传芳在驱奉军事获全胜时，任命陈调元为安徽总司令。陈善于估计政局的变化。广东孙中山派有何成代表濬常驻上海，陈曾与何交往甚密。他对广东孙、奉天张、西北冯及南京孙等实力派方面，都摆有棋子，可谓八面玲珑了。

1926年秋，吴佩孚已在汀泗桥战败，退守武昌。孙传芳出兵江西，欲与北伐军周旋，派陈调元为九江上游前敌总司令，驻兵武穴。此时陈已由何成濬的同学范熙绩和唐生智二人撮合，与蒋介石达成默契。故北伐军攻破武昌后，转军临赣的时候，陈调元军一枪不发，旁视北伐军直攻南昌、修水一线。虽然他曾把王维城给他的要他反击孙军的电报转呈给孙，以表其忠于孙。但当孙失守南京时，陈军已改悬国民革命军的旗帜了，孙传芳这才恍然大悟，自己上了“陈傻子”的当。

蒋介石要利用陈调元，仍令陈蝉联安徽省主席，以固其心。蒋迁都南京后，在金钱等条件引诱下，陈终被招降纳顺，于是，凡直接间接认识陈而欲报效的，都出入其门庭，以夤缘进身。陈在北伐时任第二军团总指挥。进抵京津后，做了不少招纳孙军的工作。冯玉祥准备反蒋时，蒋调陈任山东省主席，也是蒋的缓冲之计。此外，接段祺瑞赴上海住，也是陈为蒋效劳的事。蒋抓住陈不放，陈调元也愿意“鞠躬尽瘁，死而后已”。

陈调元早年染上鸦片烟瘾，及至投蒋后，恐蒋闻之而不喜，改打吗啡针，因此身体日渐衰弱，最后以肺部中毒而逝，终年五十七岁。

戈登其人

周骥良

在中国人民受帝国主义欺凌岁月里，天津有两处霸气十足的地方，这就是戈登堂与戈登花园。戈登堂是一座英国式碉堡建筑，毁于唐山大地震中，现在的天津市政府大厦就是在原地重建的。大厦前面的花园即先前的戈登花园。当

年，戈登花园的正门还立着戈登的塑像，虎视眈眈的样子，门前还有“非经英国董事会或该管巡捕许可，中国人不准入内”的字样。距戈登花园不远的一条街被称为戈登路。另外，海河码头上还不时停泊一艘戈登号邮船。戈登简直成为天津一座洋神了！

双手沾满了中国人民鲜血的戈登出身于英国军官世家，前后五代都是英国殖民事业的狂徒。他的玄祖曾在沙皇彼得大帝的御前做过将军，曾祖和祖父也是军官，父亲则是英国皇家炮兵中尉。戈登兄弟四人，有三人是英国陆军军官。1860 年夏，戈登随英法联军入侵天津时，他是工兵队的上尉，随后窜入北京，野蛮透顶地火烧圆明园，他是祸首之一。他在写给他母亲的信中这样说：“以最野蛮的方式摧毁了世界上最宝贵的财富。”而且还做出了这样的惋惜：“那地方非常宽广，而我们抢劫的时间很短促，因此不能仔细地抢掠，许多金质东西都被误认为黄铜而摧毁。”

戈登在抢劫圆明园之后又回到天津。根据《北京条约》，英法两国在天津设立了租界，戈登骑着一匹大马，也干起跑马圈地的勾当。看哪里顺眼就在那里放置界石，然后用铅笔勾出纵横的街道线路。不管这地原来是谁的，他都切割出售，赚了一大笔钱。

1862 年 9 月，协助清廷镇压太平军的“常胜军”头子华尔阵亡了。换了几任统领都不能胜任，于是戈登又由天津到了江南，戴上统领的桂冠。他改用英国陆军的训练方法训练这支雇佣军。严格等级，固定薪金，用督战队督促雇来的中国士兵攻城。攻不上去就用枪在后面打死。俘虏了太平军，就用极野蛮的手段处死。据贺翼柯《戈登在中国》的描述："把他们捆绑起来，用箭在身上各处乱戳之后，又把臂膀上的一块肉割开，倒挂起来。这样示众五小时以后，才把他们杀死。"

就是这个杀人不眨眼的混世魔王，清廷却大加赏识，竟然授给他武将中最高的"提督"军衔，并赐给"黄马褂"，赏了顶戴花翎。至于帝国主义的吹鼓手们更是把他捧成了征服古老中国的"英雄"。单是记述戈登侵华事迹的书籍就有四十多种，还有几部有关戈登的影片，其中两部曾在天津当时最好的平安电影院放映过。

麒艺流芳

朱经畬

“麒艺流芳”是1990年李瑞环同志为纪念周信芳诞辰九十五周年题的词。周信芳十四岁时,到北京搭喜连成班学艺,与梅兰芳合演《战蒲关》、《九更天》等剧。转年,慈禧太后与光绪帝逝世,戏园停演。周来津,是为来津演出之始。后又来津,曾搭余叔岩戏班。到了1932年7月再次来津,在新明戏院挂头牌,与李吉瑞、尚和玉、杨瑞亭等合作,开始对天津观众产生影响。

1932年至1933年8月,周信芳等在津演出达十个月,演期之长为外地来津剧团所罕见。

1933 年初，日本帝国主义在“九一八”、“一二八”事件之后，又侵热河。周信芳新编《卧薪尝胆》，使观众了解亡国之苦，激发爱国热忱。

是年 4 月 13 日至 16 日，马连良来津，“南周北马”合作，在春和戏院连续演出六场：首演《十道本》（周饰褚遂良，马饰李渊），又演《一捧雪》（马前饰莫成，后饰莫怀古，周中饰陆炳）、《小桃园》（周前饰刘备、中饰黄忠、后饰关羽，马接演《连营寨》之刘备）、《借东风》（周前饰鲁肃、后饰关羽，马饰孔明）。尤其是二人合演之《摘缨会》，马饰楚庄王，周饰唐狡，以武生应工，为剧界奇观。此外，周信芳还与侯喜瑞上演《连环套》（周饰黄天霸，侯饰窦尔墩）、《打严嵩》（周饰邹应龙，侯饰严嵩），亦视为“京剧珍品”。

一月之后，周信芳又与程派演员新艳秋在春和戏院合作，演出《玉堂春》（新饰玉堂春，周饰蓝袍刘秉义）等剧。更为难得的是周与新合演新编剧目《霸王遇虞姬》，周饰项羽，新饰虞姬。剧情是项羽杀殷通起义，又降服英布、钟离昧，往涂山举鼎，收桓楚、英布，降马龙。遇虞子期，争鹿，虞父（名宣）排解，使项羽与女虞五凤比剑订婚，为周信芳一生演出中绝无仅有之事。

李金顺三次闯关东

王 林

在李金顺的艺术生涯中，曾三次去东北演出，即所谓“李金顺三次闯关东”。

第一次是在1920年，当时李十八岁，刚刚红起来。她去的是东北营口。当时她已在演唱上搀入了某些说唱技巧成分，结果当地观众说“没有落子味”，“像唱大鼓书的”。李金顺唱“黑”了，返回天津。

第二次是在1925年。李金顺率元顺戏社在天天舞台演出，与经理吴万祥发生矛盾。李一气之下，中止合同，后转至南市德庆商场演出。第一天挂牌上演《马寡妇开店》，戏至中场，吴万祥竟纠集三十多名打手，包围了德庆商场，大打出手。德庆经理出高价请来日本巡捕，在日本巡捕保护下，李金顺由后台下楼逃脱。戏社演员却有多人被打，戏箱、行头大部分被毁。李金顺遭此打击后，闭门不出。吴万祥以为这一“下马威”，定能使李金顺屈服于他胯下。几天后，吴又假惺惺登门访李，扬言“误会”。李金顺看到吴软硬兼施，意在控制，为免纠缠，于是携元顺戏社再赴东北，去安东(现为丹东)等地演出。此次李获得巨大成功。

翌年,李金顺由东北载誉而归。当时出入日本租界,经常遇到刁难。一个从安东来的名叫司会三的人,自称“慕名”而来,由于他会讲日语,李金顺遂将他留在身边,以图通过日租界关卡时“方便”。不料司会三竟生歹意,某晚散戏之后,他竟趁金顺休息之机,持枪胁迫李金顺离开天津,去东北演出。这就是当时轰动天津的“李金顺失踪事件”,亦即李金顺第三次闯关东。时间约在1928年、1929年。

李金顺被司会三挟持到东北,长期辗转于营口、沈阳、长春、哈尔滨等地演出。在舞台艺术实践过程中,她考虑到戏班的经济收益,有意识地探索怎样才能适合东北广大人民口味,于是根据当地的语音和音调,对评剧进行了润色,其中“唱”和“白”就不可避免地同原来的语音有差异。她又结合东北语音,吸收奉调大鼓,创造出了别致新颖的唱腔,颇受东北观众的赏识,时人称为“奉天落子”。从此李金顺声誉日隆,票价竟由三个铜子卖到大洋一元,包银达到每月大洋六千元。李金顺每天日夜两场,不久竟赚了四万元,但都进了司会三的腰包。

当时李金顺带领元顺戏社在哈尔滨同乐戏院演出。由于场场爆满,给正在大舞台演出的京班上座率带来了极大影响,引起了京班演员的不满。李金顺为了促进与京班的团结,主动为京班病故演员王少鲁义演。将三天义演款全部捐给京班。京班演员很感动,主动邀李在大舞台戏

院合作义演。第一天排戏码，由李金顺演开场戏,结果开场戏刚演完,观众就“抽签”了。京班纳闷,不解其故。第二天由李金顺“压轴”。京班演出时,故意拖延时间,等李上场时,已经午夜了,但观众直到看完戏才离座。京班十分佩服李金顺的表演。从此,京班演员从对评戏的歧视转为相互交流协作,要求李金顺与京班合作演出,即所谓“两下锅”和“两夹馅”,其演出方式也叫“风搅雪”。这种形式的合作对李金顺的艺术水平的提高有很大的帮助，也为评剧社在戏曲艺林中争得了地位。以后李金顺因生活上受到迫害与摧残,被迫脱离舞台生涯。

严范孙与南开话剧

齐植璐

南开学校的话剧活动是北国话剧的摇篮，它在中国话剧史上占有非常重要的地位。当年周恩来同志和马千里、时子周等人都曾在此大显身手。曹禺、黄宗江等戏剧家也是从这里走上剧坛的。人们都知道,张伯苓是南开话剧的创始人，张彭春是把西方现代写实剧介绍到中国来的第一人。但是,在南开话剧开创之初,还有一位对倡导话剧运动不遗馀力的先驱者，也应该在话剧史上占有一定地位，这个人就是南开学校的创办人严范孙。

严范孙雅好戏剧，尝谓，“欲强国家，先善社会”，“剧本加以改良，其功不下教育”，因而，他特别注意戏剧改革工作，从鉴赏、评审、编剧以至指导演出，无不热情参加。早在清光绪三十二年(1906)，他就在自家东院搭起凉棚，组织亲友及儿孙演出了一本话剧《箴盲起废》，由张伯苓、韩询华等担任角色，这是天津最早的一次话剧演出。宣统元年(1909)又在他家里演出张伯苓编导的话剧《用非所学》，由张和范莲青、严智怡等人参加演出。从此，严就与张伯苓商定，每逢南开学校周年纪念日都要举行一次话剧公演，作为辅助教育和丰富学生文娱生活的一种形式。1912 年 9 月，上演了由马千里主演的《华娥传》，经过严的评判和指导改进，在后来的再次演出时，在情节、语言和布景、道具上都有很大的提高。1914 年校庆，演出话剧《恩怨缘》，严看后大为欣赏。于是与林墨青、李金藻、王劭廉四人联名登报启事，推荐向社会公演，曾连演两场，以劝募国内公债和学校经费。1915 年 10 月，南开新编《炎凉镜》剧本，请严亲加审定。严将剧名改为《一元钱》，并将全剧七幕幕名，逐一加以修改，使之更为含蓄和典雅。后来此剧成为常演不衰的保留剧目，为我国话剧史上最早的大型剧本之一，曾推向北京、保定、沈阳，由志德社等剧团所排演。

严审批剧本颇有独到见解，如同年对张彭

春所作《醒》一剧，就认为“事涉遐高，稍失之枯寂，似与今日社会心理不合”，取消参加公演。

1917年，严曾邀彭翼仲、梁巨川、漱溟父子与周恩来等十馀人赴北京，观摩志德社《一元钱》的演出。

1918年，天津学界俱乐部试演话剧《照妖镜》，严与范源濂亲任导演，孙凤藻、邓澄波、李金藻、马千里等分饰剧中人，一时传为佳话。

绣谷临难赠画

卞慧新

清咸丰八年戊午(1858)春，上元画家司马绣谷(名钟)重游天津，住在老友韩香泉家园“亦园”之“古香书屋”。曾绘《梅花双鹊图》为赠，并题云：

香泉仁弟论绘事，尚清冷，不尚繁枝。兹以简笔出之，就正大雅，未知以为何如。戊午谷雨前二日，绣谷钟志于古香书屋。

宾主相处甚欢。不意第二次鸦片战争的炮火，燃烧到天津。四月初八日，大沽口失陷。十八日，四国侵略军舰侵入三岔河口。主犯英、法两国头目，分别占住望海楼、崇禧观、药王庙等处。帮凶俄、美头目占住韩家花园等处。司马绣谷避难北去，临行以其舅氏上元画家韩奕山(名炎)墨兰一幅留赠主人，并加题识：

> 香泉仁弟，既好礼，尤尚义，余之同心交。咸丰八年重游津沽，下榻于亦园古香书屋。挥毫染翰，乐数晨夕。心旷神怡，三月于兹。未几，清和八日，四夷入寇，我军失利。火轮飞棹，直犯三岔河口，占据亦园。主人临难，客欲何之？主人犹复壮我行色，为我呼车送归桑干。余年近古稀，离别之情，未有如斯惨淡者。转盼间，主与客不知又在何处。是帧为主人心炙，患难分襟，留以志别。天涯海角，聊当晤言可耳。戊午四月下浣，绣谷钟记。

至五月下旬，四国撤军。两月来，全城遭劫，韩氏亦损失不少。两年后再入寇，俄、美仍占韩氏家园。开埠后，韩氏船业被排挤就衰。再经八国联军之役，家遂中落。

1960 年 9 月，为访寻第二次鸦片战争旧闻，曾到久居北京的韩诵裳表兄家中。奕山之兰为诵裳祖父镜孙先生荫棻庚子(1900)劫馀，袭藏已久；绣谷画乃己卯(1939)秋以厚价收得，合浦还珠，珍惜逾恒。娓娓叙旧，为之神往。

月明珠写《桃花庵》

王　林

评剧演员月明珠，本名任喜峰，他是在金菊花离团后脱颖而出的。1909年前后，庆春班的台柱子是金菊花。他善演悲剧，演唱大悲调尤为一绝。当时哪个班有了他，一台戏就能赚八十块钱；没有他，这台戏也就只能赚五十块钱。他认为戏班里没有他不行，于是三番五次地和成兆才闹涨钱，几次成兆才都按金菊花之意满足了他的要求。后来，金菊花要价竟涨到戏班人的生活难以维持的地步，结果成兆才和金菊花"闹崩"了，金菊花要脾气甩袖而去。成兆才说："咱们主角儿走了，没人了，就拿任善峰当我们的月明珠吧！"从那儿以后，月明珠便成了任善峰的艺名。以后戏班演员众志成城，团结一心，艰苦创业，终于创建了一个崭新的剧种——平腔梆子戏。

月明珠聪慧过人，除有一副好嗓子和俊俏的扮相外，还利用闲暇时间，刻苦学习文化。有一天，他见成兆才编写的剧本《珍珠衫》里有个错别字，就直率地指出来。成兆才反唇相讥，说："你能，你也编个戏本给我看看，再说别人的不是……"月明珠受此羞辱，心中愤愤不平，从此，每晚散戏后,埋头写剧本,终于写出了《桃花庵》剧本,拿给成兆才看。成兆才看完剧本后又惊又喜,马上分角色,排演《桃花庵》。成兆才为了捧徒弟,还在戏里扮演了配角瞎子。月明珠随着《桃花庵》的问世,名声鹊起,而《桃花庵》剧目也成为评戏保留剧目之一,久演不衰。

周铨庵与辛巳曲会

周慰曾

业馀昆曲名家周铨庵生前曾不止一次地说:“我在昆曲上有这么点点成就,完全是曲会和曲社培养出来的。”“曲会”即天祥的辛巳曲会,曲社是北京昆曲研习社。

天津并不是昆曲发祥地,但天津文人中爱好昆曲者不少。最早有个“同咏社”,是袁寒云(袁世凯次子)组织的,有陈文悌、滑茗白、童曼秋等人,常有活动,后因袁寒云去世,活动日少,逐渐衰落。

辛巳曲会是在同咏社的基础上建立起来的,创建于1941年,因该年是辛巳年,故名。规定每周活动三次,由童曼秋、徐惠如任教,是当时天津昆曲爱好者的惟一的群众组织。

周铨庵出自天津名门,1937年因被邀连续去天祥市场小广寒戏园聆昆曲大王韩世昌的昆曲班演出，极感兴趣，认为昆曲剧本中挖掘剧中人物感情、动作要比京剧剧本细得多，萌发了学昆曲念头。在其父支持下，请了天津名笛师徐惠如到家中拍曲，开始学的是《夜奔》、《打子》、《弹词》。1941年参加辛巳曲会后，得到了老一辈昆曲爱好者更多的教益。

沦陷时期，唐山开滦(矿务局)俱乐部有个昆曲组，任教老师为施砚香(绰号"八百出戏"，是现在昆曲界传字辈老师的父执)，曾在各矿区演出，受到好评。抗战胜利后，昆曲组因一部分人调到天津工作而趋于停顿。而调到天津的诸人仍愿继续研习昆曲，只因人少不好组织活动，遂提出与辛巳曲会合并的建议。开滦俱乐部有活动经费，有固定活动场地(开滦矿务局大楼后院有小剧场可供过排演出)，但参加人员少，行当不全；辛巳曲会经费少，没有固定活动场所，但参加研习昆曲人员多，行当全。经过协商，辛巳曲会与开滦俱乐部昆曲组合并活动，聘请童曼秋、徐惠如、施砚香三人任教，每周日下午活动。铨庵经曲友建议，改唱"五旦"，得以从施砚香学身段，由徐惠如拍曲，学会了《小宴》、《闹学》、《游园惊梦》、《风筝误》等剧。

曲友们为施砚香戒烟筹款组织义演，是合并后第一次演出。铨庵因能入戏，有台风，扮相气质好，拍曲功夫深，被曲友们推荐饰演《小宴》中杨玉环，由赵申甫(律师)饰演唐明皇。这是她首次登台，大博好评。《北洋画报》刊登了剧照，称之为“小程砚秋”。

天津解放后，辛巳曲会改名天津昆曲研究会，照常活动。1953 年，铨庵与谢锡恩结婚后定居北京，参加了北京昆曲研习社。当天津昆曲研究会有较大活动邀她时，她必来津参加。

小老五与鲜灵霞

王 林

鲜灵霞，本姓郑，名淑云，1920 年 1 月 17 日生，原籍河北省文安县丰各庄。姐妹三人，她行小。一家五口人靠其父租地生活。1923 年，文安县洪水匝地，为了生存，她母亲带着她和二姐逃荒到天津姨父家寄居。姨父是个商人，母女三人不堪忍受寄人篱下之苦，另租房栖身。为了生计，母亲“缝穷”，年仅十岁的二姐也当了童工，惟有她无忧无虑，终日溜进桂和戏院看戏。年仅六岁的她，被台上打扮得花枝招展、服饰华丽的演员所迷住。她还边看边模仿，为此，大家送给她个绰号——“小迷症”。后来，她家搬到劝业场附近。劝业场六楼有个天乐戏园，专演评剧，她常乘隙而入，伏在台口看戏，久而久之，便和台下台上管事的混熟了。有时见人手不够，她主动帮忙充当“小杂役”，演职工都很喜欢她。当时天乐底班里有四姐妹(按年龄排的演员)与她年纪

相仿，彼此情投意合，这四姐妹主动授艺给她。有时四姐妹中若有人因故不能上场，就由她来顶活儿。从此，人们又管她叫“小老五”，这也是鲜灵霞做为票友的第一个艺名。十二岁那年，她家又搬到南市荣吉大街大舞台戏院对过。这地点对评戏票友“小老五”来说，真是块风水宝地——隔街是大舞台戏院，聚华、开平两个戏院又在附近。她如鱼得水，经常在聚华戏院看碧莲花、周紫霞、陈凤娥、王月仙、林凤霞演戏。她很有心计，边看戏边记台词和唱段。她这种“捋叶子”的方法，使她学会了不少出评戏。有一天，聚华戏院演出《小老妈开嗙》，演出前有位演员因病不能登台，管事见了她便说：“小老五，你给顶个活儿！”她不慌不忙化完妆上场了。结果没失众望，演出成功了。从此大家更喜欢她了。当时聚华戏院里有个穆会计。一天，穆会计把她叫到跟前说：“小老五，我给你改个名字好不好？你叫鲜灵霞吧，鲜就是新鲜的鲜，灵就是灵芝的灵，霞就是霞光万道的霞，怎样？”从此，“小老五”改名叫鲜灵霞了。这就是以后蜚声剧坛的著名表演艺术家鲜灵霞名字的由来。

1934年，十四岁的鲜灵霞正式拜评剧老艺人刘宝山和刘兆祥为师。由于她天资聪颖，又勤奋好学，不久，便学会了好几出戏。一天，师傅亲自把一副门帘、台帐、头面送给她专用，从此，鲜灵霞便正式“下海”演戏了。

《四郎探母》的禁演

陈嘉祥

抗战时期，沦陷区在敌伪统治下，内容淫乱和荒诞的剧目充斥于舞台之上。抗战胜利后，为了清除这种精神污染，国民党天津市政府规定，各剧院必须提前一周，将拟上演的剧目报经社会局批准并发给"公演证"后，始能公演。

当时天津共有影剧院二十多家，中国大戏院是其中最大的一个。1946年2月中旬，它申报的剧目中，有一出小戏(名称已忘)因为内容荒诞，社会局未准上演。该院经理冯承璧意颇不平，说："这种戏都不能演，将来干脆把《四郎探母》也禁了吧！"话似玩笑，却带悻悻之声。

我当时担任社会局的文化礼俗科科长，对戏剧审查负主要责任。但我对戏剧所知甚少，一般审查意见都由科中戏剧股拟定。经中国戏院经理一提，我遂向科中同事请教，《四郎探母》是一出什么戏，值得他这样重视？听完大家介绍，始知这是一出著名的京剧唱功戏，在戏剧艺术上有较高的成就。但听到他们叙述这出戏的内容时，却感到这出戏所着重渲染的，尽是母子、夫妻、兄弟、姑婿之间的人伦之情，对杨四郎降敌叛国的行为多所回护。在抗战胜利之初，上演这种剧目，实有为汉奸辩解之嫌，不利于提倡民族正气。经过思考，觉得冯承璧的话，对我们是一个很好的提示。科中经过一番讨论与研究，在报请局长批准之后，于2月25日起，开始禁止《四郎探母》在天津上演。

消息一出，不仅在梨园界引起震动，在社会上也激起了波澜。一时报章杂志纷纷载文议论此事，赞成者不少，反对者也很多，争论持续不休，且有愈来愈甚的趋势。当时的国民党市参议会也把这件事纳入议题，进行讨论，并有争辩。由于该参议会的干预，社会局遂于是年9月10日(中秋节)解除禁令。

将军服上舞台

李邦佐

1946年夏初，我应新世纪剧团约请，为他们导演陈白尘编写的《升官图》。剧中省长这一角色本来商定由周刍(现易名周楚)担任，但因周临时另有他就，情急无奈，只好由我亲自登台。由于事出仓猝，赶制服装已不能如期完成。若想租赁，又因我身高一米八四，无法找到如此肥大的服装。最后只得从家中借来先严李廷玉(曾任镇守使，陆军中将)的将军服一试，居然非常合身。首演的那一晚上，这套服装还真为我的表演生色不少。到后台卸装,恰逢唐若青看过戏来访,她不住地抚摩我脱下来的上衣说:“你一个人又导又演,这不算稀奇。稀奇的是这套服装,这么好的料子,剧团决不肯做,你是从哪里挖来的宝?真给演出抬色儿呀!”等我说明了原委,她忍不住拊掌大笑说:“真有你的,把老爷子的将军服也鼓捣上了舞台,这可是创举啊!”我回答说:“没法子,这是逼上梁山。好在只此一遭,下不为例。”因为不久我便考入中央银行工作而与职业剧团告别,再没有粉墨登场了。

喜彩莲巧斗阎家琦

王　林

“七七”事变后,日寇侵占华北、天津,社会秩序混乱,艺人们更是在水深火热中挣扎。有一次,喜彩莲率领剧团在南市开平戏园演出《人面桃花》,她的演技和姿色触动了汉奸、淫棍、伪警察局督察长阎家琦。阎家琦为了炫耀自己的财势,竟在戏园内用钻石戒“打彩”。散戏后,喜彩莲把钻石戒指退了回去。阎家琦见喜彩莲未上钩,又勾结增兴德饭庄的老板张春荣(人称张八),在增兴德摆宴,企图使喜彩莲就范。在酒席宴上,张春荣从中周旋,又暗示阎家琦用巨款打动喜彩莲。阎家琦依计,拿出一百元礼券拍在桌

上。张春荣躬身献媚地说："喜老板，这是阎处长的一点小意思，请您赏脸吧！"喜彩莲怒火中烧，却面带微笑，对张春荣说："张老板，您柜上有多少位呀？"张春荣不明白喜彩莲问话的用意，但为壮门面，就随口说："小店，上上下下有五十多位，叫您见笑！""好吧，张老板，回头您写一张名单，到我下处领钱，每人赏五十元！"说罢，喜彩莲站起身来，说了声："失陪了！"竟头也不回地离开了增兴德。阎家琦和张春荣面面相觑，呆若木鸡。

从此，喜彩莲不惧权势，不贪钱财，借债赏张八的轶闻不胫而走。

新凤霞与"苏三打狗"

王　林

《水浒》里有武松打虎，在评戏史上，有评戏演员新凤霞打狗。那是日本投降后的第二年，天津的社会秩序非常混乱，尤以南市"三不管"一带更甚。马路上有歪戴帽子的便衣特务，大鼻子美国兵，有叫人更加心悸肉跳的拎着匣子枪的警察和拄着拐杖的国民党伤兵。他们满街转游，看谁不顺眼，扬手就打，抬脚就踢。戏园子里，前台包厢、台下池座里，观众大部是头缠药布，胳膊、腿绑绷带的伤兵。他们进园看戏，不但不买票，还成群结队地捣乱耍流氓，观众敢怒不敢言。

有一天，新凤霞在台上演《女起解》，忽然见台下来了一群伤兵。有的观众怕招惹麻烦“起堂”了。伤兵们见一胖大爷手里托一盘糕干在兜售，其中一个用拐杖把胖大爷手里的盘子打落在地，一群伤兵就抢散在地上的糕干。胖大爷一见赔了本，就和伤兵口角起来。伤兵大打出手，有的把抢来的糕干往台上扔。突然，一只狼狗窜上戏台，追抢扔上了台的糕干吃，吃完又“汪汪”地嚎叫，向演员奔去。那时唱戏有个规矩，无论出什么事也不能下戏台。扮演崇公道的演员吓得钻到了桌子底下。新凤霞急中生智，把苏三戴的链子拿在手中，用链子下面缀的两片铜叶子打狗。狗急了，一口咬住铜叶片，新凤霞顺势一抽，铜叶片划破了狗嘴。狗咬得更凶了，新凤霞只好又捡起崇公道拄的棍子猛打下去。狗见势不妙，边叫边退，跑下台去，才免了一场大难。从此“苏三打狗”当做轶闻传开。

张寿臣收徒叶笃慎

陈笑暇

相声前辈“幽默大师”张寿臣先生有授业弟子十人，以常宝堃(小蘑菇)、刘宝瑞、刘化民(小地梨)、冯立璋、于世德、康立本、穆祥林、田立禾等受益深,有着不同程度的艺术造诣与影响。此外,尚有定居重庆的叶利中也在继承发展相声艺术上做出了贡献。

叶利中祖籍天津,本名笃慎,家道殷实。叶自幼喜爱曲艺,曾背着书包各处赶场听相声,非常倾慕张寿臣的人品和艺品。稍长,不断向张问艺,张在去叶宅演"堂会"时,常提醒笃慎牢记"一年之计在于春"、"寸金难买寸光阴"。告以"少壮不努力,老大徒伤悲",应务本求实,不可因喜好相声而贻误学业。叶于聆教中对张更为崇敬,乃多方私淑张之技艺。十八岁后,常以张氏相声参加义演,成为轰动一时的相声名票。张对此恬淡处之,见面时告以为人治艺"今古贵刚直",不可随波逐流,玩物丧志。叶每有馈赠或宴请时,张总是婉言谢绝。张晚年提及此事仍慨叹:"人心不古啊!我得告诉他干这行不容易,你要嘻嘻哈哈,就会一事无成。你家里有钱,也不能任意挥霍。我靠作艺吃饭,但决不捧少爷吃秧子……"

40年代初期,叶笃慎常求教于常宝堃与赵佩茹,常、赵除热情相助外,并向张寿臣进言,将叶列入门墙。逢叶票演时,张常亲为捧哏,及时提出不足。后笃慎父兄不同意其下海作艺,叶毅然脱离家庭。经张提携去北京"小上海"游艺社演出,正式收为弟子,助叶进入相声之林。

笃慎此后更名利中,长期辗转于川黔献艺。

建国后归属重庆市曲艺团，曾与当地文联的张继楼合作整理了《贾行家》、《飞笔点太平》、《怪病怪治》等相声集，由上海、四川文艺出版社出版，并坚持参加演出实践与学术研讨活动，为弘扬祖国优秀民族文化做出贡献。

张寿臣先生对此深感欣慰，生前曾与之飞鸿论艺，寄予厚望。

赵松樵"一赶五"

陈笑暇

文武兼备，艺广才长的京剧名家赵松樵先生精于治艺，勤于实践，青中年时喜得"戏瘾大"之雅号。

这是从何说起呢?首先是赵先生戏会得多，演得活，尤其是刻画不同的人物真实生动，会演、能演又肯演、擅演，有求必应，不计条件。如在上海时，周信芳先生演《四进士》，敦请他饰"架子花"顾读，赵慨然允诺，认真钻研，自有别出机抒的艺术创造。他虽以文武老生应工，却因自本世纪20年代初陪王鸿寿(老三麻子)先生演《走麦城》时，指定他演吕蒙，用王的话讲"这孩子是武花脸中难得的人才"，由此赵先生就兼演"架子花"和"武二花"。他为周信芳主演的《乌龙院》饰刘唐，活灵活现出"赤发鬼"的英勇粗犷，急切匆忙的形象。至于他饰《白马坡》中的颜良则堪称一绝，先后同周信芳、林树森、白玉昆、唐韵笙、白家麟、刘汉臣、李铁英等十几位“关公”合作过。1980年他年届耄耋，还在津新兴影剧院、南开文化宫同李万春合演此剧，一时无二，赞为菊坛盛事。

自20世纪50年代初，赵在津先后组建了“扶新”、“建新”京剧社。遇有主演多、业务好时，他就连演配角，辅助中青年；遇有主演少、业务淡时，就连演主角。各见佳妙。如他曾把《战马超》、《单刀会》、《逍遥津》连起来演，分饰张飞、关公、汉献帝，这“一赶三”本已说明其高超的艺术造诣，而他戏瘾尚浓，剑锋不钝，转天日场又贴出《三国》，由《群英会·借东风·华容道》接演《甘露寺·美人计·回荆州·芦花荡》，赵连饰鲁肃、孔明、关羽、乔玄、张飞，由于素养深、功力强，各自找出了俏头。谢幕时仍旧神采飞扬，并请观众留下宝贵意见，使同场演员和全体观众敬佩不已。

这样的“一赶五”，既是艺术创造中的多种实践，又是振兴业务、为集体谋福利的谦恭风范。

梅氏父子其人其诗

李文钟

梅成栋(1776—1844),字树君,天津人。嘉庆五年(1800)举人。其子梅宝璐(1816—1891),字小树,诸生。道光间,树君在津门倡结梅花诗社,同人推为社主,领袖骚坛数十年。“前辈有灵来纸上,旧交无数晤灯前”,“聊为诗人传梗概,忍令古本尽荒芜”。本此诗意,树君并辑成《津门诗钞》三十卷。后小树与杨光仪等续起梅花诗社,流韵晚清。关于梅花诗社的宗旨和梅家诗风本色,从小树晚年所作寄托遥深的《梅花七律八首》中可略窥一二,诗云:

无分开早与开迟，真品从来不合时。铁石心肠禁锻炼，酸寒滋味费寻思。春回驿路人千里，月落江城笛一枝。忍恃东皇推管领，宿根还要自扶持。（其四）

“真品从来不合时”，在封建社会中是真理。诗既写梅复写人，梅氏父子都非汲汲于富贵和名利之徒。树君课徒砚田所入，终年不过百多两银子，糊口以外，悉以济贫乏者。其为人得乎诗之外，乃能入乎诗之中者颇深。一生作诗数千首，随作随弃，以为“必汲汲焉望传一日之名，是欲霜中开常艳之花，严冬有不蛰之虫矣”(《欲起竹间楼存稿·自序》)。道光间，余堂为编诗集，仅得其孑遗。

树君诗集中多反映现实之作，可谓得杜陵白傅遗绪。如《号寒行》记录嘉庆末年，官府借口制寒衣济贫敛税盘剥，因衣少人多，城隍庙前散衣时拥挤践踏，酿成“血肉狼藉十三尸”的惨祸。又如《海河开》记道光初年海河决堤，溺死多人，无能官府竟说死者命当如此，“子不见城上城下溺纷纷，官谓此皆当死人”。皆为难得的诗史。

道光壬午年(1822)作《冰行叹》，具见天灾人祸“县县皆灾，村村不守”的惨状：

无边野水结成冰，小车咿哑冰上行。夫推无力妇为挐，车上幼儿啼哭声。妇语饥儿莫烦恼，前村乞食饲汝饱。行到前村不见人，破壁颓垣没荒草。吁嗟乎！县县皆灾，村村不守。西人东逃，东人西走。古有循良吏，悱恻民之母，告此饥顿形，为民丐升斗。古则有之今岂无？危则持之颠则扶。流亡满道饥寒死，应向荒郊绘此图。吁嗟乎！谁向荒郊绘此图？

小树年甫而立，佐父执宿松石历莅畿辅及诸大邑数十年，初志欲垂云抉日，然数奇依人，时局板荡不宁，"惟以诗古文词寄托怀抱。有《闻妙香馆诗存》，多倾吐肝胆，洞见本真，未将诗歌作为炫才鬻技沽名钓誉之具，与乃父盖一脉相承。光绪间，小树年逾古稀，杜门养疴，太守宫玉甫重其诗名，索其诗集读之，击节叹赏，遂出资代为梓行。下列一首，可以说是他一生的写照：

频年踪迹滞鸿泥，家事纷纭半未齐。元直退归欣有母，伯鸾垂老竟无妻。不甘自了身多累，强欲求全计本低。历尽艰虞肝胆在，扪胸时觉亘虹霓。（小树《乙亥花甲初度赋七律十章自嘲·之三》）

春秋史笔伐寇仇

金振东

民国三十三年(1944)出版的《蓟县志》，十卷三十七万言，是研究蓟县历史的主要参考资料。这部县志编撰于虎穴之中，刊印于日伪的监视之下，却真实记录了日寇的侵略暴行，控诉谴责了侵略者的野蛮行径,昭彰了中华民族的正气,表现了崇高的爱国主义精神。

《蓟县志》的主撰为邑人仇锡廷。他自幼勤奋好学,对中国历史、古典文学、书法均有较深的造诣。光绪癸卯年(1903)考中秀才后,执教乡里。"五四"运动中,接受新思想,提倡白话文,宣传科学民主,是县内办学的先驱。抗日战争时期,他曾掩护过革命干部李楚离等人,并营救过被日寇监禁的同胞。1941 年,日寇曾胁迫他事敌,他断然回绝。他编修县志时,蓟县正在日寇的统治之下。他秉笔直书,巧妙地运用按语,借事为由,痛斥敌寇。在"兵事"编,紧接"三十一年强化治安历行五次"文字后,撰有按语,历数渔阳(今蓟县)历史上被侵略的事实后写道:"明末如此,辽时何如,南北朝时又何如,俯仰今昔,能毋慨然,略摘往事,惕我县人。"这不啻于发出呐喊:警惕啊,被异族侵略在重演,祖国在危难之中!

在"盘胜"按语中,揭露敌人更为淋漓:"盛衰无定,今昔悬殊,深谷巉岩,时来间谍,青松怪石,常倚干戈。花落山空,钟移纽断,白云自散,明月谁家","七十二座有名庵,空有其名,古今不替半千僧,仅存其数。"读后令人义愤填膺,马上会想到日寇推行"三光政策"的罪恶。

在"赋税"序中评述:"经界不正,粮赋如飞。税有陋规,而吏肆贪黩,迄今兹尚未能清理就绪。"接着,用准确的数字记述苛捐杂税的增加情况，民国二十四年至三十二年，田赋增长近三十八倍。

书中不少文字记录了日寇残酷统治造成的后果。关于“警备路”、“爱护村”、“情报网”以及五次强化治安均有或详或略记载，还记下了抗日大暴动后，日寇增兵驻防、筑堡挖壕情况：增据点二十五处，建筑碉堡七十馀座，并在全县挖壕。“壕深八九尺，宽如之。东西长约百里”，“南北长约八九十里。壕堡及公路、警备路三百米内，禁种高粱、玉黍各高秆作物”。

铁蹄践踏，百业凋零，民生涂炭，村庄人口锐减。在“乡镇户口”一节，专列“近四年”焚毁及并集村庄表，注称：“前五年一千零八十五村，延至现下，除焚毁并聚一百四十五村，实存九百四十村，吁可慨矣。”人口由五年前的三十八万四千三百三十八人减至三十六万二千一百八十人。罪行累累，铁证如山，为日本侵华罪恶史添上有力的一笔。

解放后，仇锡廷到天津工业学校任教。十年浩劫中被迫害致死。

俞曲园押韵奇工

涂家昌

晚清同治、光绪年间著名的朴学大师、章太炎的老师、《春在堂全集》的著者德清俞樾，字荫甫，号曲园，是我的外高祖父。他的著述除全集外，还有刻本极少的《曲园课孙草》，是教我的外祖父学作时文的。时文用于考场，虽无经世之用，在当年亦不可废。曲园在此书的序上写道："教初学作文，不外清醒二字。一篇之意，反正相生，一线到底，一丝不乱，斯之谓清。其用意遣辞务便，如白太傅诗老妪能解，斯之谓醒。然清矣醒矣，而或失之太薄，则亦不足言文。所以失之薄者何也，无意无辞也。"寥寥数语，括尽文学入门之道。书末又有作赋范例四篇，曰"赋亦小试所不可缺者"。可是小虽小，押韵却奇工。诸君遍读各体，或未睹此奇，以此书之不传，或罕传于世也，故摘录于下，以见韵法之奇。

曲园课孙，作《南阳诸葛庐赋》以示范。题五字，即刘禹锡《陋室铭》之赋句也。曲园自限，以"三、顾、臣、於、草、庐、之、中"八字依次押韵。诸君，请问"三"字放在句尾怎么押？再请问，那个千古以来一向在句首句中当虚字用的"於"，今天要放在句尾押韵,那句话(先别说那赋里的行文)怎么说呢?曲园写道:“客有过南阳之墟者,见夫平畴莽莽,杂树毵毵,山不深而亦胜,地虽僻而堪探。桥畔露酒家之旗,林间藏老衲之庵。万古羽毛,莫辨云霄之一。万家烟火,犹通山径之三。”押韵之际,熔杜甫诗、陶潜赋于一炉而治之,用力极深,而斧斤之痕,泯然不见,“一”、“三”两字,宛如天造地设。再看他怎样用“於”字押韵。他写道:

> 及其遭逢先主,载置后车。据蜀都之形胜,扶汉祚之沦胥。而是庐也,存留岁月,藏弆今书。每为梁父之高吟,所思安在。应忆隆中之旧友,曾此相於。

妙哉、妙哉。“於”作虚字,偶有动词之用。曲园苦寻此字,却又如信手拈来,使人叹服矣。

胡适的一首文言诗

曹明贤

胡适是提倡白话诗的第一人,但他也写文言诗。《去国集》里的诗,就都是文言诗。他曾说:“吾数年来之文字兴趣,多出于吾友之助。若无叔永、杏佛,定无《去国集》。”

杏佛,就是杨杏佛,名铨,江西清江人,留学美国哈佛大学。胡适是安徽绩溪人,留学美国康乃尔大学、哥伦比亚大学。他们都是到美国寻求救国救民真理的。胡适在诗集里记载:“将之纽约,杨杏佛以词送行,有‘三稔不相见,一笑遇他乡。暗惊狂奴非故,收束入名场’之句,还有‘欲共斯民温饱’之语。”胡适词有:“户有馀糈,人无菜色,此业何尝属腐儒?吾狂甚,欲斯民温饱,此意何如?”他们酬唱的诗词,文字浅显,使人有轻巧清快之感。胡适有一首用口语写的,鲜为人知的文言诗。

一天,胡适按照约期去访杨杏佛。杨值有事外出,胡适在客厅里等了好长时间。等烦了,就提笔写了一首文言诗,题目是《致杨大鼻子》:

鼻子人人有,唯君大得凶。
平垂一宝塔,倒挂双烟筒。
接吻全无份,闻香大有功。
江南一喷嚏,江北雨蒙蒙。

杨杏佛回家后,读到诗笑了!诗虽然太夸张,太讽刺,但仍透露着浓厚的友情。他立刻给胡适写了一封诚挚的道歉信,有“试思:‘失信’与‘鼻大’何干?君何不察耶”等语。

胡适喜欢烦人删诗。他的诗集先后烦过任叔永、陈莎菲、鲁迅、周作人、俞平伯等删减。这首《致杨大鼻子》诗,可能就是在这时被删掉的。

徐树铮赠先君诗

翁开庆

先君(翁之熹,字克斋),早年供职开滦矿务局,解放后担任天津医学图书馆副馆长。1925年1月他奉特派考查欧美日本各国政治专使徐树铮氏电调,充使团秘书,随徐氏出国。是年5月行抵法国巴黎,先君因家事拟先行返国,向徐请假辞归,不准。适团内林子峰君因与徐意见不合亦请辞职归国,徐允其所请。5月25日晚,徐氏在巴黎皇家饭店为林子峰饯行。饭店内灯红酒绿,并有红衣少女频频与客起舞。徐树铮氏即席笔书一诗以赠先君:

观舞示克斋并送子峰

一片春波聚短萍,客愁何处不堪惊。
深杯浮玉客心醉,利屣缘珠正眼明。
闾里莺花游子梦,天涯风雨故人情。
明朝去住谁能说,莫妒闲鸥自在行。

按先君在1919—1920年间曾任西北筹边使署总务厅机要司理,时徐树铮氏任西北筹边使。先君当时随徐氏入蒙古库伦。此次又随徐氏出使至英、法、意等国。故徐氏在诗中有"天涯风雨故人情"句也。诗中更以使团诸随员有如萍水相逢，行踪难定，谆谆规劝先君放下客愁，打消辞意，不可效闲鸥之任意行止。先君深感徐氏之盛情，然归意已定，终于是年6月19日由法国马赛港乘轮回国。

艺无止境

苏更新

津门著名书法家华世奎是个热心肠的人，不论谁家婚丧嫁娶作寿日需写个软挑硬对带中堂，或哪个买卖家要写个牌匾字号或贺词，都乐意找他。不光是图他的字好，还因为他的艺德好。

当然，谁也不能叫他白写，后头总有"润例"跟着。但不管你给多少钱，不管你是否急用，也不管你找谁来给说合，他都一律下午才给写。上午不行，上午他得写仿描红。他总说，艺无止境，他的字还嫩，光图挣钱不行。

华世奎小的时候，他父亲华承彦每天早晨总是拿着一支龙头拐逼着他描红写仿。贪玩不行，不写不行，写不好也不行。他父亲从不多说话。只要是看着不顺眼，上去就是一拐！

华世奎从小养成了每天早晨描红写仿的习惯，一直到他爬不起来那天。他每天上午总是趴在桌子上描呀，写呀，那个认真劲，真像个初学写字的小学生。

他对跟他学书法的学生的要求也是一丝不苟。每次留给学生的作业，他都是用蝇头小楷逐字地批改。他的学生中，有些人一直把他批改过的作业保留到现在，用以激励自己的学习。

谭家菜、聊园词社及其他

张牧石

北京词坛自辛亥革命后，一度消沉，虽由樊樊山、易实甫、关颖人组成一“寒山诗社”，社友甚稀，只以诗钟为主，偶有诗题，也少作者。填词一道已无人问津。到1923年夏，孙桐先生以光绪壬辰进士入清史馆工作，偶填了两阙词，引起史馆同仁兴趣，大家争先合作。京师词风逐渐复兴。

1925年，谭篆青发起“聊园词社”，一时名流多为社友，如溥心畬、罗复堪、向迪琮及先师寿石工均先后参与。社集每月一次，在谭宅。社友轮为主人，命题，并聚餐。谭篆青夫人精烹饪，世称谭家菜，尤以鱼翅为冠。当时天津文人章式之、郭则沄、杨味云也时赴京参与，一时颇称盛况。后“聊园词社”因故屡歇屡续，到主人谭篆青回南方，就散社了。但“聊园词社”在近代词史上

的地位和影响是留下了。

谭家菜因谭篆青夫人精烹饪而名著一时，当时官僚汤尔和甚喜食其菜，故给了谭一挂名职。当时有人出一上联“谭篆青，割烹要汤”，很长时期无人能对下联。因要对一人名，第三字还要是颜色，后四字还要用《四书》中四个字，还要歪讲。后来张伯驹先生和夫人潘素夫妇画展，名流们多去看画，夏仁虎先生看完画，以为伯驹先生的画不如夫人，遂口出下联，巧对了上联，曰“张丛碧，绘事后素”，丛碧乃伯驹先生号，碧与青恰皆为色，后四字皆出四书，真是天造地设，传诵至今。张先生又命我刻了“绘事后素”两方印，一朱一白，不知现尚存否。

张伯驹先生与《平复帖》

张牧石

1936 年，著名收藏家张伯驹先生在上海，得知韩幹的《照夜白图》被一姓叶的字画商从溥心畬手中买去，就急写信给主政北京的宋哲元，说明此画系国宝，请其查明，勿使流出国外。结果晚了一步，叶商已高价卖给英国了。

张先生知道溥心畬手中还有一件国宝，即晋代陆机的《平复帖》真迹，怕它也流出国境，所以请出中间人去向溥心畬商量，希望他出让给自己。来人回复说溥现在不用钱，如要买，就要二十万元。时张先生一时难筹此巨款，此事暂罢。转年，叶恭绰先生举办“上海文献展览会”，张先生又请张大千向溥心畬说，愿出六万元买《平复帖》，溥仍坚持二十万，遂又二次作罢。不久卢沟桥事变，张先生回到北京。当年又来天津，在路上遇到傅沅叔先生。傅先生告诉张先生说溥心畬的母亲去世，正需钱办丧事，一时向银行提款又有限定，不够所需。张先生求傅沅叔去和溥心畬商量，愿借给他一万元，但要以《平复帖》作抵押。后傅回话说，溥心畬现只索价四万元便可出让。张先生当即付给两万元，馀两万元分两个月付清。就这样，这件国宝《平复帖》就由傅沅叔先生作了跋语，后转交张伯驹先生。时有一姓白的想得此帖转卖日本，愿一次付清二十万元。但张先生已捷足先登矣。

北京沦陷，张先生闲居北京一段时间，后去陕西，把此国宝藏在衣被中，几经变乱，从不离身。日寇投降后，张先生回到北京，因榜其居曰《平复堂》，并请上海篆刻家陈巨来刻一牙章文曰“平复堂印”四字。张先生在作书作画时，常喜钤用此印。后于浩劫中此印也被抄失。张先生又命我依陈刻原印复制一印。后来所钤用的“平复堂印”就是我刻的，并非陈之原印了。《平复帖》这件国宝已于1956年由张先生捐献给国家。张先生曾对我说：他能为祖国保存了一件珍贵文物是平生一大快慰，但《照夜白图》未能保住，致

使流于异国又是平生一大憾事。张先生爱国热忱,可从此一语中共见之。

徐志摩与天津

曲振明

1915年秋天，二十一岁的徐志摩由上海沪江大学转入天津北洋预科学习。北洋素以美国哈佛、耶鲁等名牌大学为榜样,学校以美国大学课本为教科书,又聘请美国人执教,堪与剑桥、牛津媲美,预科强调英文教学,这为徐志摩日后留学欧美产生了影响。经过在北洋的一段学习，他于翌年秋天告别天津，转入北京大学法科学习。

1923年夏天,徐志摩自英国留学归国不久,由北京专程来天津,为南开大学暑期学校讲学。当时赵景琛、焦菊隐、于赓虞等虽不在南开上学,但他们组成的绿波社,听说徐志摩这位留学剑桥的老师到南开讲课,便组织社员都去听课。绿波社是受“五四”新文化运动影响而组建的进步文学社团，徐志摩讲英国近代文学和未来派诗歌,大家听了很感兴趣。课堂的学习气氛非常活跃,他拿出一些外国名诗让大家翻译,其中优秀者发给世界著名作家的像片作为奖励。徐志摩吸引着大家,下课后,学生们还常围着他,听他在南开园的绿荫下讲外国进步文学。两个星期的授课结束后,大家对他依依不舍,绿波社为他举办了告别会。会上,他勉励大家勤奋学习,并与全体社员合影留念。这次讲课,使他结识了一些新朋友,其中与赵景琛就一直保持着友谊。

1931年,也就是徐志摩生命的最后一年,他与家人欢度农历新年,于初三由南方来到天津,稍事休息后又去北京。同年年底,他由南京乘飞机回北京,途中失事遇难。徐志摩在天津的经历可以使大家得知他人生旅途中的某些片断。而他在天津扶植进步文学社团的事迹,更值得大家纪念。

从国学家高步瀛想到《关公战秦琼》

齐植璐

高步瀛,字阆仙,河北霸县人。清光绪甲午(1894)科举人,后留学日本。四学淹通,能文工诗,著述甚丰,对近代教育改革亦颇多贡献。1902年,应直隶学务处督办严修之邀,到天津任省视察兼主持编书课务,同时任教于直隶高等学堂与优级师范学堂。曾与陈宝泉合作,编写《国民必读》,为启迪民智教材。又编撰了第一批中小学教科书，试行于全省，开全国风气之先。1905年，随严修至学部任总务司主事及图书检校总务长。入民国后，继续在教育部任佥事、教育司司长。1928年，应张学良之邀，到沈阳任萃文书院讲席。1929年到北平大学女子师范学院任国文系教授，以迄逝世。

但是，谁也不会想到，像这样饱学望重的老夫子，他的乘龙快婿竟是那个曾在山东当过几年土皇帝的军阀韩复榘。听过相声《关公战秦琼》，对那个愚昧透顶、洋相百出的"韩老太爷"的形象曾捧腹大笑的人，也许不禁要问：他们这两家，门不当，户不对，这门亲事又是怎样做成的呢？

其实，韩的父亲名世泽，虽未蟾宫折桂，亦曾泮池采芹，在家乡也是一个小有名气的秀才，绛帐授徒，人称静原先生。韩复榘也曾随其父学过"子曰诗云"。投军时，就是由于他能写上几笔像样的字，被冯玉祥看中而被录取的。

侯宝林大师那个脍炙人口的相声段子，是由于有一次看到崔嵬和谢添二人分别戏扮关羽和秦琼的剧装合影照，一时灵感突发而创作出来的。至于为什么竟把笑料信手拈到那个"韩老太爷"头上，那就只能套用一句老话，是由于韩的"罪孽深重，不自殒灭，祸延显考"之故了。

天津的冷枫诗社

曹明贤

天津冷枫诗社，乃天津诗人张异荪于1936年建立的，活动地点在长春道同仁堂药店楼上。张是药店店东，诗人们到此雅集能受到热情招待。此外也到蜀通、蓬莱春、美丽等饭店活动过。吟课联咏，盛极一时，每次都充满了欢快气氛。

冷枫诗社，是在城南诗社已无活动的情况下建立的。因之，城南诗人相继入冷枫诗社。章一山、金息侯、李琴湘、赵元礼、刘云孙等，都是来自城南诗社的津门名流。杨绍颜、康仁山、王禹人、王伯龙、孙学曾以及青年诗人杜博彦、顾传湜等，更是诗社中的活跃分子。赵元礼是天津著名书法家、文学家，出版了《藏斋随笔》共十集，凡冷枫诗社成员，每人皆赠一套。诗人们都受到教育，产生了“临渊羡鱼，不如退而结网”之想。

冷枫诗社成立于“九·一八”事变之后，所以课题内容，既有风花雪月之作，也有忧国忧民之吟。当然，只有新亭对泣之愁，并无痛饮黄龙之快！卢沟桥一声炮响，诗社即烟消云散矣。

冷枫诗社除一般吟诗填词外，还有回文诗、诗钟之作。曾印有《诗作小集》，惜文革遭劫，片纸无存！

天津风筝杂谈

崔　锦

“风筝魏”是饮誉中外的民间艺人。但是,人们对他的成就却说不清,道不明。20世纪50年代末,我曾多次访问了魏元泰、段宇樵等天津风筝艺人,他们对天津的风筝业及自己的艺术成就作了详尽而允当的介绍。

天津以折叠式风筝出名,但这种风筝不是魏元泰发明的。清末,天津有三位爱玩风筝的名门(北门里董家、仓门口王家、朱家大门朱家)子弟,常在一起切磋技艺,首创了折叠式风筝。他们扎风筝用的竹料,要经伏天雨水浸泡,再经开水煮,增强了竹材的韧性。骨架用丝线扎,比市场上用纸捻子扎的风筝精细得多。风筝的翅、尾、首与身用翎毛管衔接,可以拆装折叠。这种折叠风筝的缺点是翎毛管易折、易被虫蛀。魏元泰在这方面做了改进,用锡或铜箍代替翎毛管,把天津折摺式风筝发展得更加完美。

魏元泰的另一个功绩就是创造了榫接骨架的方法,这种方法比用纸捻扎的风筝美观轻便,又比用丝线扎的成本低,形成了魏记风筝的特点之一。

1915年,魏元泰的风筝在巴拿马赛会上获奖,有人说得了金牌,有的说是银牌。据有关资料记载:巴拿马赛会设有大奖、名誉奖、金、银、铜牌。长清斋(即魏元泰的风筝作坊)的风筝十一件获得了银牌。

天津是风筝之乡,清末到民国年间,天津的风筝作坊和艺人数不胜数。较有名的有张七、张国瑞兄弟开设的“志乐斋”,李和曾、李和林开设的“志远斋”,王三开设的“志祥斋”,段宇樵开设的“唯心斋”以及帘子李、大李把、小李把、段景春、段德清、李云清、金万友等人,使天津风筝业形成百花争艳的局面。

刻 砖 马

崔 锦

人们都知道天津有位“刻砖刘”，却很少有人晓得“刻砖马”在天津砖雕业的卓越贡献。

“刻砖马”名叫马顺清，回族人，是“刻砖刘”的外祖父，生活在清道光至同治年间。在他以前，天津砖雕业只是瓦工兼做的“细活”，俗称“刻花活儿”，马顺清就是位刻花活儿的高手。道光年间，天津对刻砖的需求量大增。于是，马顺清就与赵连璧组织起一支以回族青年为主的刻砖队伍，天津刻砖业才形成独立的行业。

马顺清的作品气势雄浑，刀法朴实圆厚，并创造了“贴砖法”，就是在砖面上加贴一小块砖，以增加画面的空间，使得作品层次深邃。马顺清贴砖使用的粘合剂也是他在实践中研制成功的。因为砖雕是建筑的外观装饰，要长年经受风雨的考验，所以贴砖用的粘合剂必须是特制的。其配制方法是：松香四分，黄蜡一分，研碎后和水搅匀，煮成粘液状，晾干成块备用。需要贴砖时，先将两砖的接触面磨平，然后将砖加热，再把粘合剂均匀地涂在砖面上，贴好后压紧，冷却后即十分坚固。粘合剂中，松香起粘合作用，黄蜡有防水功能。实践证明，这种粘合剂经得起风吹雨浸。现在天津市内一些建筑上用粘合剂粘贴的砖雕,虽经几十年甚至上百年的风风雨雨,仍然完好无损,无一脱落。贴砖技术的发明,确立了天津砖雕淳朴、丰满、细腻的艺术风格。

天津的点心模子

崔　锦

《红楼梦》里专门有一段文字,描写贾府用的一套雕刻精致的面食模子。这也是中国美食文化的一个重要组成部分。

具有一百多年历史传统的天津点心模子是享誉我国“三北”地区的民间工艺品。清末,天津市的建筑木雕业非常发达,出现了朱星联、何万清、王永庆、刘杏林等著名艺人。民国初年,天津市曾明文规定不得在建筑外檐装饰木雕等易燃品,许多木雕艺人纷纷改行,与刘杏林同师于何万清的傅宝元就开了一个模子作坊。当时,天津糕点店都是从一位姓胡的艺人那里买模子。胡为人尖刻,总和买主处不好关系。天津的糕点商们发现傅宝元的雕工很好, 就是缺乏刻模子的经验。于是, 他们就给傅宝元找传统模子的式样,千方百计帮助他提高技术。不久,傅宝元开设的三顺合模子店就在全市打响了。

三顺合的模子选用杜木,其木质细腻,纹路

缜密，扣出来的糕点没有杂纹。除刻普通模子外，他们还刻半斤以上，大至十斤的点心模子，真可称得上是模子之王了。

峰窝麦秆玩具

崔　锦

过去，天津西郊大寺村有座峰山庙(俗称峰窝庙)，供奉着药王孙思邈和诸般神灵。传说四月廿八日是药王的生日，所以，药王庙从四月廿一到廿八日举行庙会，千百里外来的香客，络绎不绝。

庙会上出售一种麦秆编的玩具，人们称之为峰窝麦秆，这种麦秆玩具的产地在大寺村和大芦北口村。

麦秆玩具是以大麦秆和秋麦秆为原料。制作时先把麦秆剥理整齐，捆扎成束，再以红、绿、黄等颜色煮染，干后备用。编制马、鸡、狗等动物时，先把煮染好的麦秆剥开展平，编附在布胎或纸胎上。编花篮时，则先用大麦秆编成菱形、方形和长方形的几何图案，然后把它们联缀成花篮形状。篮内及提梁上装饰以鱼、马、花等，显得艳丽大方。

天津峰窝麦秆起源于本世纪初，当地农民赵士通在学习北京妙峰山麦秆玩具的基础上，创出了天津麦秆玩具的独特风格。后来，一直是大芦北口村、大寺村妇女们农闲时的副业。天津麦秆玩具格调朴实，手法洗练，装饰趣味浓郁，色彩明快艳丽，具有强烈的地方特色。1956年，在莫斯科举行的社会主义国家妇女艺术品博览会上，天津的麦秆玩具获得金奖。

20世纪50年代后期，大规模的旱田改水田运动，断绝了原料来源，结束了天津麦秆玩具的艺术生命。

美人张二三事

崔　锦

在近代天津画坛上，张城创作了一批颇有新意的艺术品，还给我们留下了许多脍炙人口的动人故事。

张城(1868—1922)，字受龢、寿父、寿甫，号瘦虎、小白云溪客、鹤寿龛馆主等。祖籍四川，生于江苏，定居天津。先后任北洋客籍学堂学监、直隶省立妇女职业传习所高级刺绣科国画教师、直隶省实业厅、教育厅、天津造胰公司职员。其画承家学，擅人物，兼工山水，尤以画工笔仕女著称，作品工整而不刻板，形象准确而更重人物内心活动的刻画，被誉为“美人张”。1914年，他的仕女条幅在太平洋万国博览会上获得了铜牌。

张城不但画艺超群，而且愤世嫉俗，常在天津《醒俗画报》上发表辛辣的讽刺画，抨击时弊。清光绪三十三年(1907)他创作的《升官图》便是一例。当时北洋小军阀段芝贵为了得到黑龙江巡抚的职位，买了坤伶杨翠喜献给慈禧的宠臣载振为妾。这件美女贿赂案一经传出，张城就画了这幅画。画中，杨翠喜手持扇子高坐，扇上画黑龙江地图，一官员跪拜在扇前作乞求的样子。桌上摆着灵芝、桂花，寓意段芝贵。杨翠喜的像是按照市场上出售的明星照画的，所以神形俱肖。作品是对当时官场的腐败现象的有力鞭挞。可惜《醒俗画报》的某人竟扣发了此图，直到1932年这幅《升官图》才在《语美画刊》上发表。解放后，天津《新生晚报》曾高度评价此画。

周希丁拓砚

蔡鸿茹

天津市艺术博物馆收藏的古砚，有一部分珍贵的附件，那就是周希丁传拓的砚台拓本。

周希丁(1891—1961)，名康元，原名家瑞，北京市人。一生从事篆刻、摹拓事业，20世纪40年代曾出版《石言馆印存》，收自刻印章千馀方。还曾传拓众多名器，如故宫博物院武英殿、宝蕴楼珍贵的铜器，此外尚有古玉、甲骨、钱币、石经等。所拓精美绝伦,但他在天津遗留下的徐世章藏砚拓本,却鲜为人知。

20 世纪 30 年代,他曾携徒傅大卣(古物鉴定家,现在北京市文物局)在徐世章家拓砚,每砚拓十张。所用宣纸,均从南方宣纸产地订制,裁成一定尺寸规格,右下角篆字“濠园藏砚”,每砚拓正、反两面及四侧,墨色黝黑发亮,花纹清晰分明。他拓的平面不是简单的平铺直叙,而是层次分明,深浅适度,极富变化,既忠实原作,又不呆板。山水砚的拓本,犹如一幅幅水墨山水画。他把砚台拓美了,拓活了,经他手传拓之后,一方方砚台拓本璀璨生辉,令人赏心悦目。尤其令人叹为观止的是立体拓,所拓与照片无异,甚至比照片更胜一筹。著名的明代顾从义石鼓文砚,经他手拓,全面而生动地反映出这件名砚的风姿。全拓包括砚面、背、砚周及主体形。20 世纪 70 年代这件拓本在北京售价千元以上。著名古文字学家陈邦怀评其拓法曰:“审其向背,辨其阴阳,以定墨气之浅深,观其远近,准其尺度,以符算理之吻合。君之拓者,器之立体也,非平面也,前所未有也。”

砚拓本常印有“郗丁手拓”、“金谿周康元所拓吉金文字印”等,这些精美的拓本,几乎与古砚具有同样的艺术价值,应是文化宝库中的一枝奇葩。

《葛洪徙居图》被一分为二

刘光启

在张叔诚先生1981年捐献的书画当中，有一件无款绢本《葛洪徙居图》人物画卷，高31厘米，长171厘米。画件质地基本完整，绘画本身未有署款。画图中的葛洪一家正在迁徙，有肩挑者、携琴者、荷锄者，各尽忙碌奔走之态。画法古朴，赋色典雅，人物的面貌宽额长颐，衣纹挺拔。从纸绢等各方面观察，确为唐宋年间的一幅人物画卷，对今后鉴定唐宋年间的绘画作品，提供了很好的教材和实物资料。

画卷的引首有明代冒政以隶书题《徙居图》三个字，后有明代王世贞和清代成亲王题跋。此卷的全貌，清代顾复的《平生壮观》卷三中有所著录。现抄录如下："唐人葛稚川移居图，绢本卷八尺着色人物五寸，前冒政隶《徙居图》，羼纸黄山谷本色字题诗云：'莫言家具少于车，药裹衣囊自有馀。老妇亲携三稚子，仙翁独玩一编书。牛羊相与趋新筑，鸡犬应难恋旧庐。是处山头有丹井，不知如此几迁居。'山谷道人因得观而敬赞诗……王元美题云：'勾漏归来里舍忙，人间丹井未全荒。骑将老子双青犊，叱得初平五白羊。宅相婴儿似南海，徒行少女学东方。刀圭纵有难从合，只要姑姑艾一囊。'詹仲子出此卷示云：《葛仙翁移居图》，不知是何人所作，其貌人物绝得吴道子、王瓘遗意，树石则荆关也……雅俗老少各极其态，而要之皆有物外赏，更一纸则山谷老人书七言律题后，结法莽苍遒劲，是晚年得意也。……吾诗与书俱不敢望山谷觉少悉稚川事，仲子以为何如，万历癸未孟冬吴郡王世贞题。"

以《平生壮观》这段记载和实物对比，黄庭坚的题诗早已不见，并且还发现在王世贞跋语中的"物外赏"处被割裂过，而将"万历癸未孟冬吴郡王世贞题"这段落款前移，刀痕非常明显。

偶阅《墨缘汇观》法书卷上中曾著有一件"黄庭坚题葛稚川移居诗"，诗的内容与《平生壮观》中所载《葛洪徙居图》的黄山谷题跋正相吻合。看来割裂的原因已很明白，正因为王世贞在跋语当中曾谈到有黄山谷的诗赞，所以将王世贞题跋的后一小段割去。于是将一件改为两件。

从《平生壮观》中我们窥视到《葛洪徙居图》的原貌，在王世贞的题跋中提到的仲子是明代詹景凤，字东图，此件作品曾收进他的《东图玄览》玄二。在他的著述中他也曾谈到此画卷有黄庭坚的诗跋，这与《平生壮观》所说的完全一致。

至于割裂的时间，顾复的《平生壮观》书成于康熙三十一年（1692），这时黄庭坚的题诗还在。而安岐的《墨缘汇观》书成于乾隆八年(1743)，看来安岐只看到黄庭坚的题诗，而未见

到这件《葛洪徙居图》画卷。所以《墨缘汇观》只是将黄庭坚的题诗卷做为一件独立的字卷收进他的著述。由此可以推知《葛洪徙居图》卷是在康熙三十一年至乾隆八年这五十一年当中被割裂成为两件的。

历代很多画家经常以人物故事为内容,关于《徙居图》的画中人是谁的问题,历来说法不一。一说是葛洪、稚川,多年来均依附此说。来历是根据《晋书·葛洪传》所云:“求为勾漏令……洪遂将子侄俱行……洪乃上罗浮山炼丹。”至于在绘画上成为故事最早见于宋《宣和画谱》卷一,五代李昇画。其后宋元明清仿效者亦屡屡有之。

《鲜于璜碑》摭谈

张树基

1973年5月，天津武清县高村出土了一块罕见的汉碑,它就是《雁门太守鲜于璜碑》。此碑呈圭形,碑高2.42米,宽82厘米,厚12厘米。阳文篆额:“汉故雁门太守鲜于君碑”，笔势方折,系小篆结构。篆额左右阴刻青龙、白虎,碑阴刻朱雀。碑身两面镌刻隶书碑文827字,字间有细线方界格。这是建国以来出土保存最好、字数最多的一通汉碑。

碑石立于东汉延熹八年 (165) 十一月十八

日，刻记了鲜于璜生前的“勋绩”。鲜于璜所处的时代，内部党派斗争激烈，安帝执政后，重用宦官。杨震一派耿直的官僚认为，这是“黑白混淆，清浊同源”。从此，在外戚与宦官的冲突以外，又加上清流与浊流的矛盾。鲜于璜当时曾“出司边方，单于怖畏，四夷稽颡”。任雁门太守七年有馀，到官视事，“民殷和睦，朝无顾忧，勋绩著闻，百辽咏虞”。后以病去官，卒于延光四年(125)，八十一岁。同年安帝南巡时崩于途。

鲜于璜死后，又经顺帝、冲帝、质帝、桓帝四朝，历四十年，始立此碑。其原因，恐怕与党锢斗争有很大关系。桓帝十五岁继位，梁太后临朝。她采取了宦、戚并用的对策，因此鲜于璜的事迹得以重新表扬。碑文中称其“清风流射”，“有勋功于汉室”，很耐人寻味。此碑的发现，印证和补充了《后汉书》的有关记载，为研究汉史提供了新的资料。

另外，鲜于璜碑的书法艺术价值也是很高的，它可与明代出土的著名的《张迁碑》相媲美。碑字笔划丰厚饱满，用笔较方，起笔收笔不露锋芒，浑厚含蓄，行笔顿挫有致。字径由4—4.5厘米不等，字形中长、扁参差，统一中具有变化。此碑的出土，引起金石、书法研究者的高度重视，誉其“为雄强风格的汉隶，增添了另一典型”。鲜于璜碑在天津地区出土，不但使人们得见汉碑淳朴古拙的典型风貌，而且也预示着古碑石今后继续发掘的新的希望。

沈铨的《双鱼图》

张树基

在清代津门画坛上，勤勉多才的沈铨(1735—1796)，可称是晨星中之佼佼者。他善书，能诗，会弹琴，工摹印法，而且画题广泛，山水、人物无不精致，著色花卉曾得张赐宁传授，为当时所重。尤为突出的是他以大自然为师，擅长对物写生。乾隆间常与社会名流程音田、莫春晖等裹粮同游黄山，遇奇葩异卉，“咸为图绘，无不逼真”。

天津艺术博物馆藏有沈铨水墨写意《双鱼图》一幅，是他的旅途写生代表作。画面中间，绘有一对被柳条系缚的鲜活鳜鱼，柳枝带叶，穿鳃而过，若垂垂悬挂状。“枫林看百里，鲜鲚得双枚”，这是作者当时由得鱼而画鱼满怀喜悦心情的写实。《双鱼图》构图简炼概括，清新自然，是一幅逼真传神的写意画。

更为难得的是，《双鱼图》上还留下了作者一首小诗，和一篇颇具情趣的即兴题记。另外又有一枚鲜为人知的朱文名号印章。

从题记中我们不但一睹沈铨“用笔圆润，自成一家”的书法风采，而且得知沈氏在乾隆三十三年(1768)春，会同好友程音田等游金陵，秋九月归新安，舟过桐江，“偶得双鲟甚美，同人畅饮酒酣，戏为诗画”。从这段行踪游记，再一次印证了《墨香居画识》中所说“尝从程音田等游”的笔录史实。

从题画的一方钤章中又发现，沈铨晚年曾自名为“七十二沽渔人”，这是画史上未曾著录的。沈铨以沽上渔人自居，这个颇富乡梓特色的晚号，充分说明画家暮年对能生活在津沽这片土地上，是深怀一种自豪感的。沽水滔滔，垂杨夹岸，鱼蟹满舱，渔歌晚唱。此情此景，画家对自己的家乡怎会不产生热恋呢？

这篇题画小记，为考证沈铨晚年的游踪及名号，提供了一些可靠的资料，或可对今后编写津门画史，小有补益。

沈青来先生治印

唐石父

1947年夏，在仰古斋段宇樵店中，得见乡先辈沈青来先生治印拓本一册，钤印约四十馀枚。其中有仿汉者、仿殳书者、仿唐官印者，风格各殊，而章法皆极自然。仿汉则朱文秀隽，白文朴茂；殳书不但布局得体，极见匠心，而刻画细如游丝，气质娴雅。其仿唐官印者，更有一番因缘。清乾隆五十八年（1793），有友携唐贞观(627—

649)间“观阿县印”相示，先生赞叹不已，且砺石而手摹之，成“天津沈铨”朱文大印一钮。不特点画布置得宜，且唐初官印之风格韵致，颇得神似，直追唐贤。嗣嘉庆六年(1801)六月，游黄山归来，道经休宁，得小石，甚喜，再摹其意，刻为名印。后观摩唐印逾八年，亦复心领神会。可见先生胸怀博大、功力独深。

先生名铨，字师桥，一字季掌，号直沽渔隐，书斋曰六琴十砚斋，曰养素轩。天津府天津县人。善绘事，工著色花卉，得沧州张赐宁之传，当时重之。有吴兴人，与先生同姓名，字南苹，亦善花卉，与先生齐名，世称北沈南沈以别之，著《六琴十砚斋读画记》。《续天津县志》、《津门诗钞》、《墨香居画识》等书，均载先生善绘事，而不及治印，故特拈而出之。

先生生乾嘉间，治印不蹈时尚，独追摹汉唐，自非平庸作家所可企及。盖先生识见之高，远迈时人，于美丑之辨，成竹在胸，故能运刃自如，得汉唐真髓，不特当时独步津门，即在今日，亦不让时贤。邓石如与先生年齿相若，邓以不随时俗，能仿汉印，遂名噪于时，先生竟阒然无闻，乃至桑梓文献，亦无记载，惜哉！

李放遗留小砚

蔡鸿茹

1914年天津刊印的《中国艺术家征略》,内容分为金、石、丝、竹、匏、土、革、木、书画、天文、轮捩、装璜、雕刻、杂技诸类,记录了各类工艺美术创作者的姓名及有关情况。洋洋万言,是一部重要的工具书。作者为李鹤年之孙、李葆恂之子李放。

书的首页有李放照片,戴毡帽,著缎面皮上衣,上署"墨幢居士三十一岁小像",两侧自题"列仙儒欤,山泽臞欤,高阳之酒徒欤,燕市之狗屠欤。甲寅十月十九日浪公自赞(是日为予初度)"。从题辞可见其人性情放浪不羁,并知其名"放",号"浪翁"之原由。

李放的祖父李鹤年,清末官吏,其父李葆恂,辛亥革命后移居天津,后病卒。李放字无放,号浪翁、墨幢道人。幼嗜金石书画,除上述著作外,尚有《八旗画录》、《画家知希录》、《绘境轩读画记》等等。李家祖籍,《清史稿·李鹤年传》记载为奉天义州人。

笔者曾见天津市艺术博物馆收藏李放的一方椭圆形小砚,歙石,砚非上乘,但内中附一徐世章(1886—1954,文物字画收藏家)笔札,很有

资料性。内云:“李浪翁为李子和(鹤年,曾官河南巡抚)之孙,文石先生葆恂之子,名放,故别号浪翁,为人放浪不羁,才华冠时,著书甚富,公实艺术者,惜年不假,年有四十而卒,此砚尝随左右,未曾一日离,为其自书自刻,在其斋中时见之,庚辰夏六月其子石孙出以易米,遂归余斋,睹兹砚犹想见其风采焉,因系以名。六月廿七日雨中濠园书记。”由此可知徐世章曾与李放有过交往,徐对李的为人处事、性格品行当有所了解,徐对李是敬仰的,故李去世后,徐价购其砚,为斋中宝藏,以物寄情。笔札中还记载了李放四十而卒,按“三十一岁小像”为 1914 年的话,则李放卒于 1923 年,此记载在近代传记中多有忽略。此可补其遗漏。

刘子久的绘诗画

曹明贤

刘子久是旧天津美术馆馆长,众望所归的画家。善山水,画风平实,桃李遍津门。解放后,被聘为天津市文史研究馆馆员。他曾把笔者在家乡写的题为《春郊小步》一诗,绘成了中堂。事隔多年,记忆犹新。原诗为:

为爱春光好,欣然步野蹊。
雨馀花露重,风定草烟低。

到处莺啼树，谁家燕啄泥。

老翁堪入画，独钓绿杨堤。

老画家刘子久的审美经验是丰富的，他能体物入微，只补绘了小步野蹊的诗人形象，燕子衔泥飞向的“茅屋”，就使这一帧诗画综合艺术，色彩更鲜明，意境更丰满，情趣更盎然，完成了一件诗笔与画笔任何单独一方所不能完成的艺术品。

刘子久的绘诗画，是诗画交融、相得益彰的佳作。

顾随的一幅书法中堂

葛培林

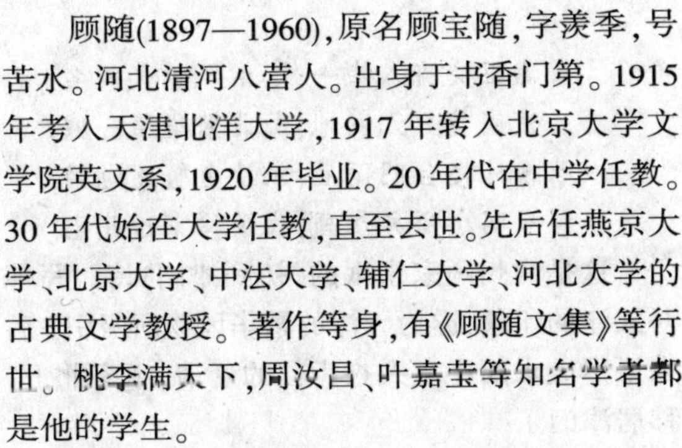

顾随(1897—1960)，原名顾宝随，字羡季，号苦水。河北清河八营人。出身于书香门第。1915年考入天津北洋大学，1917年转入北京大学文学院英文系，1920年毕业。20年代在中学任教。30年代始在大学任教，直至去世。先后任燕京大学、北京大学、中法大学、辅仁大学、河北大学的古典文学教授。著作等身，有《顾随文集》等行世。桃李满天下，周汝昌、叶嘉莹等知名学者都是他的学生。

顾随与我家是世交。我的祖籍亦为清河，在八营迤东八里的谢炉集。大约在20年代末或30

年代初，顾随赠与我家一幅他手书的中堂。内容如下：

吾生有志，乐居林泉。栽花种竹，安分随缘。既不愿声名震地，亦不愿富贵惊天。但茅屋不漏，布衣常穿。樽不乏酒，厨不断烟。二三知己，朝夕聚谈。

它反映了当时顾随先生曾有一种与世无争的归隐思想，即生活中不求大富大贵，而愿常保小康水平，向往的是一种世外桃源的生活方式。他这种思想，在当时知识分子中是颇有代表性的。

朱岷的山水画

王翁如

潞卫交流入海平，丁沽风物久闻名。
京南花月无双地，蓟北繁华第一城。
柳外楼台明雨后，水边鱼蟹逐潮轻。
分明小幅吴江画，我欲移家过此生。

这是常州画家朱岷的《初到津门》诗。写他对天津的印象，遂为天津的繁华风物所吸引。后来果然应水西庄主人查为仁的延请，举家北上，移居津门了。

他曾为水西庄画一幅《秋庄夜雨读书图》，以写实的手法，描绘出当年水西庄的亭台楼榭，在迷濛的秋雨中，写出了夜色里园林中主人朗朗的读书声。查氏故后，水西诸物星散。是幅画作遂藏于天津书法家华世奎手中。民国初年，教育家严范孙知该画名贵，请画师陈小亭临摹。小亭与张龢敛庵同学于孟绣村，画山水学南宗嫡派。临此画而出之，竟以干笔皴擦，将原图之意趣烟雨情景全失，并在题款时记“以年老不能写雨而了之，殊失原题意境”。范老视之讶然，亦无可奈何。

朱老书画均佳，乾隆时《天津县志》有他的书序，一气呵成，诚乃书法杰作。

宋哲元的大砚与闲印

李腾汉

宋哲元将军喜书法，暇时常以练毛笔字自娱，无论写字大小多少，都以巨砚亲手研墨。他生前常用的紫河石圆砚，大如茶盘；砚周有石雕盘龙，与砚边连为一体；石龙鳞甲显然，昂首张口，似作长吟状；砚中有大圆台，与砚边平，系磨墨处；圆台及砚边中间，靠砚边处有水槽环绕，墨汁可自行流入槽中。此砚古朴雅致，堪称砚中珍品。

宋哲元将军偶赠亲友的字幅，有时还盖上他的大寿山石闲印。印高半尺许，印身平直无雕

刻,上端半圆,印面呈正方形。印文是:“宋哲元字明宣山东乐陵县人”。宋哲元本字明轩,此印印文改“轩”为“宣”,足证其为闲印也。

天津的“四合套大院”

刘炎臣

早年的天津住户,基本是住平房。成格局的平房,分“三合院”或“四合院”。所谓“三合院”只是围绕院子三面盖房, 另一面是一字墙大门;“四合院”则是围绕院子四面全盖房,在其中的一面,留出一间作为出入的大门,有的大门在正中,有的大门偏左或偏右。规模较大的四合院,其中包括好几个大小院落,称为“四合套大院”。

旧时,天津的殷实住户,主要是盐商、当商和其他富绅大贾。他们全是产业多、财势大,门风、派头、名气,虽各有不同,都是住着这样成套四合院。其建筑结构是四梁八柱、磨砖对缝的青砖瓦房,连房上的烟筒也是用刻花细砖砌成的。

讲究的虎座大门楼,门框两侧,各突出一座垛子,下半部基础是立着的青条石,上半部是磨砖对缝砌成。砖与砖之间的对缝, 形成条条细线。在这左右两座垛子的上端,分别嵌上一块用大方砖雕花的“斗花”,刻着“鹤鹿同春”、“五福捧寿”……一类含有吉祥意味的花样。两扇门框前的下边，各有一个青石墩，呈现圆鼓形，刻着四季花。两个石墩之间，用条石砌成几级台阶。大门的内外上楣，有的是高悬着科举功名的匾额，如“太史第”、“进士第”、“文元”等等，以显示是“书香门第”。

大门楼过道有门房，一般都是黑漆风门和六角形或方形的刻花木窗户棂。门房对面放着一条长长的“春凳”。大门楼后檐横楣下左右各有“遮风”一扇，油漆成浅蓝色或淡绿色，表面还贴上耀眼的金花。过道里房顶中间，经常挂着一个用铁丝编成圆筒形糊着的白绵纸的“门灯”，灯的前后面，分别贴着用红纸剪成的“大门”二字和自家的三个字“堂名”，展现一派富丽堂皇的气象。

从大门楼过道走进院内，首先看到的是一座讲究的“影壁”。它的正中挂着木制的红漆地刻着黑字的“鸿禧”或“戬谷”长方形木牌，也有只刻着一个“福”字的。

影壁前的外院，一般是左右各有几间房屋，作为外帐房、轿房和杂役们的执事房，分别住着看门的、茶房、轿夫、更夫以及泥瓦匠、花把式、鸟把式、鱼把式等等看家护院、修缮房屋和培养花鸟鱼虫的勤杂工役，随时听候主人的呼唤派遣。

走进里院，有过厅和厢房，作为会客厅和书房，最后才是住眷属的“内宅”。

这类大宅门的院落，少者两三进，多者五六进或七八进不等，其中包括一些大小跨院。在各个跨院之间，有便门或月亮门相通，形成一所不

规则形的深宅大院的四合套。不熟悉各跨院情况者,身入其中会有晕头转向之感。

篓子灯

靳怀义

篓子灯是蓟运河及其上游还乡河一带盛行的花会,汉沽、东丰台、丰润县一些村镇都有演出,其中以汉沽的演出最盛。

别的花会常在春节期间从初一至十五演出,只有篓子灯在十四至十六三天内演出。一般的花会在白天和前半夜演出,而篓子灯偏偏在别的花会都演完的午夜演出。

全会六个角色:五个小鬼一个判官。因为角色都头顶用纸扎裱的假面具,里面点着牛油蜡烛,所以俗称篓子灯。小鬼面目狰狞可憎,四个长着双角,一个长着独角的叫无常鬼。判官头戴乌纱,身披红袍。小鬼套上面具后一丈来高,无常鬼比小鬼高,判官比无常鬼更高。在鼓乐的节奏声中,判官弓拉满、箭扣弦,追杀无常鬼。无常鬼东躲西藏,四个小鬼为无常鬼打掩护。就这样,从这条街驱赶到那条街,驱赶到谁家,谁家就放起鞭炮。所以篓子灯一出,鞭炮声便接连不断。演到最后一夜,在欢笑声中到河边点燃纸面具,以表现驱邪逐鬼的成功。

有人又把篓子灯称作"五鬼闹判"。其实,这种会古代叫"乡傩会"或"乡人傩"。傩,驱逐疫鬼之意,周代春秋时便有了。据《论语·乡党》记载,孔子见乡人傩,朝服而立。《后汉书》中也有乡傩会记载,那时候的面具是木制的,驱鬼的武器为"桃弧棘矢"。在外地这一古老花会早已经绝迹。民国年间汉沽每年必演,以后演出始少。近年文化部门请担任过角色的老人指点,又组织了少量演出。如今,民智大开,已无人相信鬼怪。不过为了对古代民间艺术的研究,保留这种独特而古老的花会还是有一定价值的。

农历三月三蟠桃会

刘炎臣

农历三月初三,是"三月上旬之巳日",古名

"上巳辰"。旧时在天津民间,俗称这天为"王母娘娘蟠桃会"的日子。

天津城西小稍直口村,靠南运河下梢地势冲要的南岸,原有一座建自明代的福寿宫古刹,每逢三月三大开庙门,举办"蟠桃会"。据说这是为担负远航漕运御粮船使命的官员祝祷一路风平浪静的活动,引来许多香客,极尽一时之盛。

有一个时期,三月初三还举行"谢公祠赛会"。所谓"谢公",就是咸丰三年(1853)时的天津县知县谢子澄。咸丰初年,广西金田爆发了由洪秀全领导的反清农民运动。这支被称为太平军的农民起义队伍,打下南京,建立了太平天国后,接着北上,矛头指向腐朽无能的清政府京城。太平军迅速打到天津城西小稍直口,天津城厢已面临岌岌可危的状态。有名的"海张五"张锦文,与知县谢子澄相互勾结,组织地主武装,名曰"团练",并施展诡计,抗击北伐的太平军。不久太平军被镇压,谢子澄也在这次战役中丧生。谢子澄本是镇压太平军的凶手,当时的反动统治者却称谢子澄"御贼有功",为他修建祠堂。在蟠桃会期间,还要抬出谢子澄"神像",表演"出巡"丑剧。

从前三月初三这天,天津的学人们,照例聚集西北城角文昌宫祭祀文昌帝君。还有平日捡拾字纸者,这天要把积存的废字纸,送到文昌宫焚化,宫中的负责值年的人士,在西廊备有酒食款待,以鼓励人们"敬惜字纸"的美意。

旧时天津的女孩,小时梳发辫,及长才不再打发辫,改梳“盘头”。旧俗是择定三月三蟠桃会这天,为适龄的女孩梳“盘头”,名曰“立头”,取其“蟠桃”与“盘头”字音相似的含义。

天津独有的“皇会”

刘炎臣

天津人好胜,讲究玩“会”,特别是对于历史悠久的“皇会”,因为它是天津独有的,举办时,人们更是兴高采烈,或捐钱、或出力,各尽心愿,共襄盛举。

天津皇会原名“娘娘会”,是为庆祝农历三月二十三“天后圣母”诞辰举办的。旧时,每到这农历三月间,天津居民就沉浸在皇会之中,许多角落锣鼓敲得喧天,男女老少多要添置穿戴,出现了一派儿童欢乐、妇女争妍的气象。同时四乡小镇和外县农民,虽是忙于春耕,但为看皇会也来天津。接连而来的“进香船”和“进香车”上,都插着写有“天后宫进香”的黄色旗子,停在三岔河口附近河里或两岸。乾隆年间天津举人杨一昆写过《皇会论》,绘影绘声,淋漓尽致。樊彬的《津门小会》有一首:“津门好,皇会暮春天。十里笙歌喧报赛,千家罗绮斗鲜妍,河泊进香船。”还有人写过七言诗:“三月村庄农事忙, 忙中一事更难忘。携儿偕伴舟车载,好向娘娘庙进香。"道出了当年天津出皇会的欢欣景象。

旧日天津出皇会，从农历三月十六到二十三,共经历八天,有五天集中活动,三天分散活动。三月十六是"送驾",把"天后"送到"娘家";十八日是"接驾",把"天后"从"娘家"接回天后宫。传说二十和二十二日两天,是"天后巡香散福"之日。十七、十九、二十一这三天,各个"会"(今称花会)分头去各街巷表演,俗称"踩街"。

以三月十六和十八两天为主的皇会出会序列,前面由门幡引导行进。接着有捷兽、龙灯、中幡、跨鼓、老重阁、拾不闲、鲜花会、西园法鼓、庆寿八仙、五虎扛箱、道众行香等"会",边走边表演、敲打拉唱、吹耍斗趣,形形色色,各显其能。再次是抬着送生、瘢疹、子孙和眼光"娘娘"的四个宝辇,"天后圣母"的华辇和各项仪仗,有秩序地沿着"会道"行进。"跑落"和挑茶炊子的姿态,备受欢迎,时博喝好。遇有"截会"的,更加强表演,以表示感谢。

三月二十三"天后"诞辰这天,各个"会"在天后宫内外表演,庙前戏楼演戏庆寿。善男信女进庙烧香,从早至晚络绎不绝。直到二十四日凌晨,这连续八天、规模庞大的皇会才告结束。

农历四月初八"浴佛节"

刘炎臣

农历四月初八是民间传说"佛爷生日",名叫"浴佛节"。

旧时民间多信奉佛教。纪念佛教创始者释迦牟尼的日子,在农历一年里,有二月初八的"出家"、二月十五的"涅槃"(圆寂)、四月初八日"佛诞"和腊月初八的"成道"等四个日子。其中所谓四月初八"佛爷生日"的"浴佛节",庆祝释迦牟尼的典仪,较其他各日更隆重。

当年,每逢佛节,天津各僧寺,照例举行浴佛礼。一般的仪式是,由方丈法师引领僧众迎请"一手指天,一手指地"的释迦牟尼像,安放大雄宝殿。方丈法师恭立像前,僧众分成两排,相向肃立其后。方丈法师上香顶礼三拜,僧众们也各转身,齐向佛像顶礼三拜。由方丈法师恭唱颂词和浴佛真言,僧众随声同唱,不会者可静听。最后用金盆盛香汤,沐浴佛容,浴佛典仪即告完成。

早年,天津各僧寺还在这天向行人施舍结缘豆。后来把这项活动改在腊月初八释迦牟尼"成道"的日子举行。所谓腊八节舍结缘豆的风俗,就是由此而沿传下来的。

由于天津人信奉佛教的很多，从前每到这“浴佛节”，天津居民几乎家家吃捞面，作为庆祝佛诞的表示，有的还要上庙烧香拜佛。又因为释迦牟尼是以慈悲为怀，不主张杀生，故在“浴佛节”要“断屠”一日，不能宰杀牲畜和家禽等。佛教信徒多吃素食。

天津旧时居民还有一项活动，如在“浴佛节”后日期内，家中有老人死去尚未埋葬，有钱的人家请和尚来家里念一天“洗佛”。“洗”就是“浴”的意思。念这“洗佛经”，只由一位和尚来念，念时分向四个方向顶礼参拜，即宣扬佛的诞生，又祈求普渡众生。在解放前河东粮店后街大佛寺(今河北区第二中心小学所在地)，有位法名“人园”的和尚，会念这洗佛经。20世纪40年代初，该僧犹健在，后不知去向。

卫南洼的“峰窝庙”

刘炎臣

旧时每届春夏之交，天津民间迎神赛会特别活跃。除三月二十三天后庙会和四月初九城隍庙会外，还有四月二十八药王生日的药王庙会。

天津城厢四周，原有好几处药王庙，但都比不上卫南洼峰山庙的香火盛，不仅市区居民去烧香，沿海河各村镇和津南附近几个县的人们也去拜庙。从四月初开始直至月底结束，十五到二十八是庙会最热闹的日子。

峰山庙俗称“峰窝庙”，也有简说“峰窝”的，离天津城厢约三十里，在今天的西青区大寺乡，是个药王庙。据说这药王是隋唐时代的孙思邈，但庙内还有许多其他神像和牌位。

峰窝庙建筑在一块较高的土丘上，有三层大殿，但无山门。头殿最前是药王像，他庙之药王像均为白脸，惟此庙者为金脸。另有五灵官、雷公、柳真人、药王(又一药王)、药圣、胡六姑、黄三姑、华太爷和一位不详其名的牌位。

中殿供祀伏羲、神农、轩辕、观音大士、禹王、天官玉帝、尧王、舜王、汤王、仓颉、增福财神、青龙、白虎。中殿的东厢殿有药王(又一药王)、扁鹊、华佗、柳仙、黄大仙、胡大仙、胡二仙、白大仙、大仙爷、二仙爷、三仙爷。中殿西厢殿有柳七爷。

后殿供祀如来佛、老君、孔子、弥勒佛、胡大太爷、胡五爷、柳三爷。

庙内共有神像或牌位四十三位，可以说是个包括三教九流的“大杂院”庙宇。其中有些是莫名其妙的人物。

当年从天津市区去“峰窝”，可走水路，也可走旱路，沿途茶棚林立，香客往来不绝。同时，赶庙会的乞丐很多，守候大洼土道两侧。少壮者追逐香客，伸手要钱，老残者跪地哀求，惨声震耳。

在近一个月的庙会期间，峰窝庙的四周，布满售卖各种吃喝用的摊贩。特别引人入胜的是，当地农民用麦茎编织的扇子、席垫、草帽、盆碗和其他小型虎、兔、鸡、狗、牛、马、葫芦等等用品和玩具。还有一些说相声、拉洋片和练武卖艺的，也都有人围观。

这个药王庙虽然早已荡然无存，但以其神位和仙牌之冗杂，独具特色，故记之以飨读者。

六月六日的旧民俗

刘炎臣

农历六月初六日，名“天贶节”。“贶”者，赠送的意思。11世纪初，宋真宗赵恒为“镇服四海”，宣扬有“天书”降于六月六日，以迷惑臣民，并订这天为“天贶节”，从此流传下来。

六月六日是年将过半的时候，也正是农田谷物长势旺盛的季节，天津故有“六月六看谷穗”的谚语。又因为这时是炎热的大暑天气，津俗每逢六月六来临，一般居民要把衣服被褥等放在通风的阳光下晾晒，以免因潮发霉。书香门第之家，这天还要把成批的旧书字画，取出晾晒，防止蟑蛀等虫侵蚀。妇女们常在这天洗发。旧日妇女蓄长发梳头，不便经常洗发，只在平日梳头时，用拢子和篦子拢拢刮刮。到六月六这

天，要大洗长发，免因溽暑发出馊味。

天津城外西北角，原有稽古寺，寺中附有建于明朝的藏经阁。阁的房脊屋檐，遍布铃铛，风吹铃响，声闻遐迩，因之此阁又俗称“铃铛阁”。阁内藏经卷，多达十六柜，其中包括珍贵有名的《大藏经》，每逢六月六这天，要举行一次“曝经会”。从清代嘉庆年间进士蒋诗(秋吟)留下的诗句“津淀城西稽古寺，藏经高阁号铃铛”和“六月时光会曝经，贝多部帙已零丁”，可以想见当时稽古寺中的藏经阁和曝经会的风貌。不幸的是，光绪十八年(1892)此阁被焚毁，宝藏也失去。庚子(1900)后创办的天津第一个官立中学堂——俗称铃铛阁中学，便是在这个旧址上建起来的。

过去天津的老百姓，特别是读书人家，对孔圣人是尊敬的，不敢随便糟蹋字纸。社会上有“惜字社”的组织，经常派出工役，挑着周围写有“敬惜字纸”的圆提盒，去各私塾、家馆和一些读书人家，收敛废字纸，集中火焚，送入河海。尤其是六月六这天，西北城角的文昌宫大量收受居民积存的废字纸和旧书，凡送到那里的，可享一次酒食，以示鼓励“敬惜字纸”之意。

八月二十七的“圣诞节”

刘炎臣

农历八月二十七是孔子的生日。昔时每逢这天,三津士子照例有致祭孔子诞辰的活动。

天津文庙(孔庙)旧有与祭洒扫社的组织,与祭者负责筹办祭孔典礼, 担任洒扫者负责殿宇内外的洒扫。农历春秋,天津府、县两文庙,要举行隆重的祀典。春季在二月“上丁日”,叫“春丁”祀孔,秋季在八月“上丁日”,叫“秋丁”祀孔,全由当时天津地方官主祭。除此以外,便是这八月二十七的“圣诞节”,是由天津地方有名望的耆绅率领士人在文庙举行祀典,名曰“乡祭”。这一天文庙还要举办孔子圣迹图及有关祀孔应用的祭器和乐器等文物展览, 以启迪后人。与此同时,天津早年的各书院、义塾、私塾以及后来兴办的学堂(学校)等,这天也分别悬挂孔子画像,供奉孔子牌位,师生齐集,恭谨叩拜,然后放假一天。居民家家户户吃捞面,并叮咛子孙好好念书。天津闻人李廷玉(1869—1952),字实忱,清末民初宦游南北, 晚年退居故里,1931 年 “九·一八”事变后在海河之东创立国学研究社,出任社长。当年李实忱编有《孔子诞辰纪念歌》,概括孔子一生功绩:“孔子至圣集大成, 博学而无所成

名。天地合其德，日月合其明，四时合其序，鬼神合其吉凶。阐扬尧舜禹汤文武周公之心法，删定赞修诗书礼乐易象春秋之群经。文行忠信垂正教，德行言语政事文学励实功。闻人所必戮[①]，异端所必攻。志士仁人无不遵其训，乱臣贼子谁敢撄其锋。近数十年遭奇变，吾民几乎无正宗。今何幸兮今何幸，尼山泗水又有灵。浮云不能蔽太空，先师孔子名尊重。诞辰纪念如风行，圣教从此远，国学从此兴，人心风俗从此厚，吾社从此历千万世多光荣。孔子以前未有孔子，孔子以后谁如孔子。中国以内尽师孔子，中国以外尽尊孔子。孔子孔子，大哉孔子，孔子孔子，大哉孔子。”每届八月二十七这天，李实忱亲率全社老师和学员在祭奠孔子的礼仪中高唱此歌。

九九消寒图

刘炎臣

“冬至”以后的九九八十一天，是寒冷的日子，熬过了九个“九”，寒冬便过去了。其中的“三九”是一年中最冷的日子，它正当农历“腊八”前后，故又有“腊七腊八，冻掉下巴”的旧谚，气候

① 少正卯为鲁之闻人，孔子为鲁司寇时，因其行恶而戮之。

之冷,可想而知。

从"冬至"起,因为每九天为一"九",有"数九"的民俗。读书人家为了消寒,多好用"九九消寒图"来记载"数九",一般有以下三种:

第一种是:画上九九八十一个圈儿,从"冬至"这天起,每天用墨笔涂一个圈,涂的记号是"上阴下晴,左雾右风,中黑为雪"。也有人念这样的"九九歌":"上黑是天阴,下黑是天晴,心黑是寒冷,左雾右刮风。"使人听着更明白。这八十一个圈儿都涂尽了,就有了春意。

第二种是:勾画九个九笔划的勾边空白字,从"冬至"这天起,先按照第一个勾边空白字的笔划,每天按顺序描一笔,这九个勾边空白字都描画了,"九九"就过去了。

第三种是:画一枝素梅,有八十一朵梅花,从"冬至"这天起,每天用墨笔或色笔涂画一朵。

以上三种"九九消寒图"方式不同,心情则一,都是说明人们盼望严冬尽快过去,春天早日来临。

津沽又有冬至吃馄饨的旧俗。"冬至"以后,天气逐渐严寒,吃碗馄饨,连吃带喝,既解饿,又热乎,一举两得,于是便也流传下来。

点“主”选主

苏更新

天津有个旧俗，叫文官点主，武官破土。

一般有钱人家死了人，出殡前必须请人把灵位牌上写的某某之主的“主”字点好才行。灵牌上其他的字都是事先写好的，惟独这个“主”字不能写全，得少写一笔，先写成“王”字。然后再请人用朱砂笔在王字上点上一点儿，似乎有了这个“主”字，死者在阴曹地府里才好交代。点主的人必须得有学问，有声望。但做过府台或知县的人不行，因为他们的笔下杀过人，不干净。“武官破土”是说，坟地里的第一锹土须行伍出身的人挖才行。好像只有这样，死者以后的路才会走得顺当。

当时，请天津名书法家华世奎“点主”的人很多。若给有钱人家“点主”，他得的润例也并不比写字号、牌匾少。若给穷人帮忙，他从不收取分文。一般总是有请必到，有钱没钱不在乎。也有人说他难请，因他总得看看请他去“点主”的主家“干净”不“干净”。

一次，一个姓王的人死了老娘，来请华世奎去“点主”。

华答得挺爽快：“嗯，我回头就去。你把住脚留下吧！”

那人刚走，华世奎就叫下人按着住脚去扫问那家的人品。

下人回来后说，姓王的人家住在南市三不管，是开窑子的。华世奎说声“知道了”，就再也没话了。

那个姓王的人在家一直等到该起灵的时候还不见华世奎来，赶紧又二次来请七爷。他又说好话又添“大头儿”，又磕头又作揖又请人给说合。华世奎扔给他干干脆脆一句话：“你家不‘干净’，我不能去！”

罗 汉 会

靳怀义

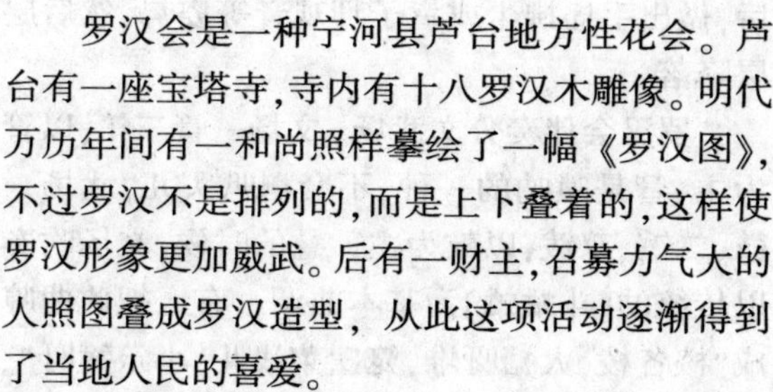
罗汉会是一种宁河县芦台地方性花会。芦台有一座宝塔寺，寺内有十八罗汉木雕像。明代万历年间有一和尚照样摹绘了一幅《罗汉图》，不过罗汉不是排列的，而是上下叠着的，这样使罗汉形象更加威武。后有一财主，召募力气大的人照图叠成罗汉造型，从此这项活动逐渐得到了当地人民的喜爱。

芦台参加叠罗汉的人几乎全是装卸工，旧时管他们叫“脚行”。芦台早年是津东有名的水旱码头，所以有许多人从事车船装卸。京山铁路修成后,芦台"脚行"为谋生迁到唐山,远到哈尔滨。每逢春节从外地回家,正月里便玩叠罗汉,这花会可说是重体力劳动者的娱乐。

叠罗汉要穿专门制做的会衣,都是黑色半大的和尚服,下摆处缝有三道不同颜色的彩绸。该会花样很多,有单挑、单象、双象、粘糖人、寒鸭凫水、三座门、拔丝、大花篮、大洋楼等。其中属六起单挑、七起拔丝、大洋楼难度大。一层叫一起,六起单挑就是六个人每人都脚踩着下一个人的双肩,直立叠起六层。肩膀不同平地,踩在上面要晃,六个人叠成上下一条线很不容易。七起拔丝,就是从第四起始,都由蹲立变成站立,叠成后约近十米高。大洋楼是八起,叠时很复杂,叠成可高过十米。叠罗汉没力气不行,没技巧也不行。罗汉重叠矗立高空,肃穆庄严,雄伟壮观。最上面的一起叫罗汉尖,都由胆大灵巧的男童担任,身穿彩衣头戴彩帽,被举到空中后,做出手摇拂尘或童子拜观音等姿势,然后层层降落。

罗汉会伴奏分文武场。文场一管三笙,以管为主,管是唢呐的一种,不套喇叭头儿;武场一鼓、二镲、双钹,以鼓为主。叠的时候,文场吹奏以传统的〔斗蛐蛐〕为基本曲调。有人把此曲哼成"棱各棱,大糖呀堆,笼筐菜浅儿,小笊篱呀"。叠完后人群在行进中以武场开道。

罗汉会有一二会头组织和调度,一拨会七八十人,有一会头负责到商会或殷实人家去集资，另一会头负责行进路线、叠出的花样和派遣角色。20世纪40年代玩罗汉的多了，便按居住地分成东、西两拨。若两会相遇，便比个上下高低，不但比叠得高，还要比成功率，围观群众常达万人左右。

清末以来，芦台附近的汉沽、东丰台、丰润也出现了罗汉会。芦台罗汉会曾去沈阳、长春等地表演，很受欢迎。近年附近没有演出了，只有芦台一地仍组织人力在春节演出，天津市重点保留了这一花会。

汉沽朝圣会

靳怀义

天津东境汉沽一带有娘娘会，不过称作朝圣会。汉沽人崇拜的娘娘是碧霞元君。史载碧霞元君乃东岳大帝之女，宋代受封，明时演变成北方诸省之万能女神。但汉沽一带传说，明时太监在当地蛏头沽村看到一个骑土墙抱公鸡的少女，便认为是欲寻觅的“骑龙抱凤”者，拉去当了皇后。死后封为碧霞元君娘娘，在唐山地区迁西县景忠山上盖了庙。此类传说外地亦有，但汉沽人相信的莫过于当地的传说，每年徒步二百八十里赴景忠山朝圣的不少，意为娘家人看娘娘。

此俗源于清代，民国年间亦盛。大庄自成一

会，小庄联合出会，每拨会少者五六十人，多者二百人左右。每年两次，一次农历四月十八，一次农历十月十五。在汉沽人看来，所有娘娘都是碧霞元君的妹妹，所以出发前亦先到本地娘娘庙集中拜庙。碧霞元君画像叫神驾，约四尺高二尺宽，平日放在会头家里，此时会头背进庙内，挂在一个特制的木架上。众者拜毕，出来绕街一圈，便浩浩荡荡出发了。其顺序为大锣开道，旗牌伞扇斧钺钩爪，神驾凤辇居中，辇后为鼓钹，朝圣者相随，花会押后。凤辇实际是轿，小者八人抬，大者十六人抬。朝圣者分两种：一种为烧苦香者，即许愿还愿之人；一种为随会者，即赶庙会之人。烧苦香者皆男人，头上顶着画有娘娘像之纸马，嘴中衔一根从脖后绕过来的细绳，袒胸露臂，身后背一马鞍，卷着裤腿光脚行路。顶纸马示崇奉，背一马鞍以示当牛做马，口衔细绳比作戴了嚼子，这一切皆表明在娘娘面前甘当牲畜，以表其虔诚之心。押后之花会称作“吵子”，就是汉沽地区著名的“飞镲”，八至十六人不等，每人双手持镲，镲系红绸，随鼓点边敲边舞。“飞镲”有许多套数，其中便有朝圣“敬香”一套。“飞镲”亦有时列前，谓“吵子”开路。

会头负总责，下设分会头。分会头背一根黑漆木棍，唤神棍，用以殴打路上犯忌者。人流路过宁河芦台、丰润车轴山、遵化铁厂村诸地，日夜兼程，约三日到达景忠山。此期景忠山，山上山下一片火热。碧霞元君庙香火昼夜不熄，朝圣者烧香磕头许愿还愿做毕，海下渔民大多给庙里献上手工制成的小木船儿，其他行业者亦献上自己的产品。无物可献者，按财力捐些银钱。庙后有一深涧，朝毕要去“眺涧”，那悬崖陡壁深不可测，据说心术不正者看了，会晕倒栽下涧去。临下山尚有一事：庙堂一侧设有一桌，上有一碗谷粒，人们须抓一把再放回碗内。据说务农者会五谷丰登，非农者亦会财源茂盛。朝圣会费公摊，亦有大户人家捐助，个人生活花费自理。朝圣会亦是特大集市贸易，人们朝圣回来，都要买回一些山货。此会解放后停止。

五虎杠箱

王者师

五虎杠箱是一种极具天津特色的民间舞蹈形式，融武术、技巧、戏剧技艺为一体，是天津民间舞蹈艺术园地中的一枝奇葩。“公议集善五虎杠箱老会”是天津最负盛名的五虎杠箱会。其缘起无文字稽考，惟据会中人谈：“当年成立之初是老三营军人们所编排练习的……”所谓“老三营”是明永乐二年十一月二十一日(1404年12月23日)天津设卫时，驻扎在天津的前营、中营、后营之总称。如此说可以成立，该会创始时间当在明初，距今已有五百馀年的历史。

五虎杠箱着重武术技击和技巧动作的表演，一般都取材喜闻乐见的野史、话本、戏剧的情节，穿插于演出中。并移植戏剧服饰、化妆，使之戏剧化，以加强演出效果。出会时，无严格的人数规定，可视各会的情况自行决定，但至少也要五六十人。行会的序列是：大旗、大锣、灯牌、大乐班等仪仗、伴奏人员前导，其后是五虎棍手，再后是手持藤牌和各种兵器的五对技击手，最后是由工人抬行的杠箱和多达三十馀人的杠箱手。演出时，在锣声的指挥下，先是五虎棍对打，然后是五对名为“转对”、“虎抱头”、“走刀”、“捎子鞭”、“叉对”的技击手对打。只见刀光剑影，虎虎生风，闪展腾挪，身手矫健。对练过后为杠箱表演，更是精彩纷呈，引人入胜。两个杠箱手用两丈多长的竹竿，抬着重达七八十斤的长方形杠箱，迈着潇洒轻俏的步态，表演各种高难技巧动作。扛前端的人表演动作，无论动作多么惊险繁难，竹竿永不离身，绝不可落地。后面的杠箱手要稳定重心，起到配合表演的作用。待所有的杠箱手依次表演“旋子”、“单缠腰”、“双缠腰”、“元宝大顶”、“连珠滚”、“抢背”、“掖脖”、“捕旋风”等绝技后，演出方告结束。

天津人的性格粗犷豪放，崇尚武勇。因此，具有阳刚之美的五虎杠箱，深受天津人民的喜爱。

津门俚语

李云冲

天津人豪爽热情，快人快语，常用语词亦多简练风趣，极富特色。这些俚语大都由来已久，而其中一些带有封建色彩的，现多已不再流传。兹录数则，以为谈助。

一、“扛刀”。清末，只有租界地的外国士兵站岗巡逻时才扛着枪，清兵没有枪，而是扛刀。站岗放哨的清兵碰到熟人时，常有这样的对话：“这不是二哥吗，您老吃了吗?”“我这不是还扛着刀了嘛，换岗的不来，我怎么吃！”后来“扛刀”一词逐渐成了天津土语，意思是指经济暂时有困难。如“给我来根儿烟吧，我‘扛刀’了”，“月底非‘扛刀’不可”等等。

二、“赶洋”。民国时，“赶洋”一词在小商、小贩中流传很广。所谓“赶洋”，是指当时的小商贩，赶在洋人的船靠岸时，趸些洋货到东浮桥(现金汤桥)西头的小洋货街等市场销售。洋人的船呆不了几天就走了，所以赶上的就能买些洋货，赶不上的就只能等下次了。

三、“二爷”。民国时，天津卫老爷们儿见面时常互称“二爷”，不管对方行几，只要喊他“二爷”就不会错。如“张二爷”、“王二爷”、“李二爷”

等等，对方则回答："爷、爷、爷。"不喊"大爷"，而称"二爷"的其中一个原因是：天津过去有"拴娃娃大哥"的旧俗。以前，天津人婚后无子的，都要到娘娘宫去"拴娃娃"，把个泥娃娃抱回家，做一身儿小裤褂给他穿上，放在炕头，人吃嘛饭给他供嘛饭，这就是人们常说的娃娃大哥。以后家中再有了孩子，则从行二排起，所以天津人不喜欢别人称他为"大爷"。

四、"走畸"。畸者，形态异常也。本来是个文雅的词汇，天津人则凭自己的理解把它俗化了。比如：经过雨淋日晒的窗户、门变形关不上，就叫"走畸"了，实指物体变形。后来有人以此来指人，则产生了强烈的贬意。如："这人办事真'走畸'。""这孩子怎么越长越'走畸'呢？"

至于 "怜巴"(身小力薄之意)、"打八叉"(什么活都干，没有固定工作之意)等词，现在仍被广大人民群众广泛地使用着。

天津天后宫

陈铁卿 遗作　王英奎 整理

天津的天后宫凡十六处，其中大直沽的东庙与小直沽的西庙均建于元代，为最古。初时为官家祈祷护航之需要，而对天妃的信奉则逐渐普及到民间。大直沽人烟稀少，所以东庙一向较为冷落，现已无存。小直沽在元代已经人口密集，过往频繁，经济条件远在大直沽之上。西庙建立后，商民信奉日多，香火旺盛，经久不衰，历代都曾重修，现为古文化街的主要构成部分。

西庙建于旧三岔河口迤南、旧县城东门外迤北的海河西岸，庙面向河，坐西向东，河西岸再没有房屋。选择这个方向就是为了便于船只祈祷。起初附近为卸粮码头，后又兼为海运商货码头，来此进香的船只逐年增盛。因为这里是南北水道咽喉，当地及他处来往的人，不少都成了天后的信徒，不时前来进香，更有不少游人往返，每逢年节尤多。商人为迎合需要，在这里陈设应时货品，销路既广，越集越多。于是天后宫一带，不仅在天津本地范围内，即以周边各地而言，亦是一处最热闹的市场，最繁盛的中心，建庙以来五百年当中，久而不断，对于地方经济的补益，自然是很可观的。

西庙所占地基，结构范围，从建庙伊始，一直没有什么变动。庙的结构，为后楼、大殿、中殿，两旁各有配殿，最前为山门及山门外面对的戏楼，另有一间名为张仙阁的过街阁。明万历重修时，将大殿前接出一“卷”，后边加出一间，名“凤尾殿”。又按通例庙前建坊，今“海门慈筏”坊，现在的中殿，即最初的山门。清乾隆间在坊外另建山门，才成了现在的状况。两旁的配殿，最初就有一些，而很多是后来由于香火之盛，陆续加建的。各殿所供之神，自以天后为主，还有许多由天后分化出来的，如眼光娘娘、子孙娘娘等。更有一部分与天后无关而附带列入的，如曹公、马公两位太监，报事童子等。这虽不致喧宾夺主，但有的亦在庙中占了很重要的地位，同样分享了善男信女的香火。

难忘的年代，难忘的诗人

石　坚

1939年春天，河北易县满山遍野桃李盛开时节，周巍峙同志率领的西北战地服务团来到晋察冀一分区。由田间等同志倡导的街头诗写作活动很快广泛开展起来。他和邵子南等同志主办的《诗建设》也继续油印出版。由方冰同志刻写的油印本和铅印的差不多。丹辉主编，由万一和我刻印的《诗战线》也出版了。这些油印刊物发表了许多战斗的诗篇，特别是街头诗、传单诗十分活跃。在举行群众大会和战士集会时，不仅广泛散发诗传单，而且还由诗人们登台朗诵。

我至今还能背诵田间的著名街头诗《假如我们不去打仗》:“假如我们不去打仗,敌人用刺刀杀死我们,还指着我们的骨头说:看,这是奴隶!”短短的四行诗,鼓舞、激励了无数的人拿起武器,同日本侵略军作殊死战斗。

当时,新诗运动遍及解放区的每个农村、连队,成为抗击侵略者的锋利武器,激发人民爱国热情的战斗号角。年轻的诗人们有的到农村参加大生产运动、民主选举运动,有的拿起武器奔向前线,和战士们一起练兵、反“扫荡”,甚至冲锋陷阵。他们的作品不仅有街头诗、传单诗,而且有长诗、抒情诗、叙事诗等,讴歌解放区的新生事物,颂扬英勇作战的军民,思想性、艺术性都登上新的高峰。魏巍同志就是这样一位优秀的诗人。他经常深入连队。平时,和战士们一起摸爬滚打,刻苦训练;战时,他和战士们一起战斗;反“扫荡”时,他和战士们一起吃沙子米,喝南瓜汤。他曾深有体会地说,和战士们在一起,不仅积累了丰富的材料,也积累了深厚的感情。他几乎每天都写诗,在紧张的战斗间隙,膝盖当桌子,石头当椅子,不停地写,有时一直写到深夜。这一时期,是他创作丰收的年代,收入《魏巍诗选》的一百馀首诗中,解放区的诗歌占二分之一以上。

当时,活跃在晋察冀诗坛上的诗人还有田间、邵子南、曼晴、方冰、徐明、史轮、陈辉、任霄、军城、丹辉、雷烨、郭小川、鲁藜、远千里等同志。

其中有的在战斗中英勇作战壮烈牺牲，有的在刑场上坚强不屈从容就义，有的积劳成疾不幸病逝，有的后来被“四人帮”迫害致死。诗人军城牺牲前写的诗中，抒发了革命战士的胸怀。他说：“要问我在什么地方，我就在那太阳升起的地方。”我想，每当太阳升起的时候，人民就会想起他们。现在健在的同志多数已届耄耋之年，但仍笔耕不缀，放射着晚霞的绚丽光彩。我们感谢魏巍同志，是他把这些诗人的作品收集起来，出版了《晋察冀诗抄》。

解放区的歌唱不完

石　坚

我很爱听《解放区的天》这首歌，特别是它的最后一句“解放区的歌声唱也唱不完”，往往把我引到当年处处歌声的解放区。

无论是抗日战争还是解放战争中，歌曲都是最普及、最受欢迎的艺术形式。解放区的人民，从六七岁的娃娃到七八十岁的老人，除了哑巴，几乎没有不会唱歌的。

和革命战争紧密结合，是解放区歌咏活动的突出特点。抗日战争时期一切为了抗战的胜利，成为全民族的战略任务。歌声唤起成千上万的人拿起武器参加战斗，歌声给军民以巨大的力量和信心。那些充满泥土气息，与农民的感情紧密相连的歌，很快在村村唱起来，无数的青年戴着大红花，在歌声中走进子弟兵的行列。

歌声也激励着人们参加解放区的政权建设、大生产运动、土地改革。我至今还记得在民主选举中人人会唱的一支歌："满山遍野青纱帐儿起，嗨，狗儿他妈，孩子他爹，张家的长工，李家的闺女，咱们大家来选举，要选那打鬼子死心眼的，千万别选那坏蛋痞，唉嗨，嘎咕的家伙哟，俺可不选你！"短短几句歌词，人人明白了选举的意义、政策，应该选举什么样的人。这是多么生动、多么简洁而又顺口的歌呀！

歌声，还是瓦解敌人、揭露顽固派的有力武器。有一支日文歌，大意是：日本的士兵弟兄们，你们投降吧，八路军优待俘虏。当战斗最激烈，敌人处于被动挨打时，这支歌对争取日军放下武器起了一定作用。有一支反映日军厌战的歌，日本兵听了竟哭起来。解放区的军民，不仅要同日本侵略者浴血奋战，还要面对国民党顽固派的分裂、破坏。顽固派们经常制造摩擦，反共反人民。音乐工作者们立刻创作出奚落顽固派的歌曲，如"呸呸呸，顽固分子，你见了鬼，掉转了枪口来对内，妥协投降开倒车，我们大家齐反对"！这些歌曲用辛辣的讽刺，幽默的语言，唱出了解放区人民的心声。

解放区歌曲的普及和发展，不能不归功于那些献身艺术事业的音乐工作者，如晋察冀的王昆、王莘、曹火星、肖云翔、王培之、苏路、路玲、陈春跃、李劫夫、郭兰英等。也不能不感谢那些和作曲家们密切合作的诗人们,如田间、邵子南、魏巍等。他们的诗作,好多都谱成歌曲。这些同志都为解放区的音乐事业作出了贡献。特别是西北战地服务团、华北联大到晋察冀以后,在当时已成熟的音乐家吕骥、周巍峙等指导下,解放区的歌咏活动又提到了一个新的水平,涌现出一大批优秀人才。

鲁迅先生与未名社二三事

李霁野

1923年秋,我转入北京崇实中学读书。翌年暑假,我试译了俄国安特列夫的《往星中》,小学同班同学张目寒是鲁迅先生在世界语专修学校的学生,他将我的译文送请先生指教。我想在那里不是吃灰,就是被扔进纸篓吧。不料目寒很快就约我到先生处谈谈。原来先生在译文中夹了几个纸条,是要同我商量修改的地方。先生对待一个中学青年的态度,给我留下深刻难忘的印象。以后读先生1924年日记:九月"廿日。上午张目寒来并持示《往星中》全部"。"廿一日,星期休息。……看《往星中》"。更使我万分感动。

我把《往星中》送请鲁迅先生指教,万不敢

想到出版。但是1925年夏晚，静农、素园同我去拜望先生，谈话中他说现在的书局如北新，不肯印行青年的译作，尤其不愿印诗和剧本，因为没有销路。他说想同青年们合办一个小出版社，自己可以筹四百五十元印费，先印自己的一本书，收回成本，自己先不支版税，用来印青年人的译作。我们表示赞成，并说我们三人和丛芜，可以向一位同乡(台林逸，当时在山西工作)借二百元，素园说可以约曹靖华，筹五十元不成问题。未名社就这样诞生了。首先印行了鲁迅先生的《坟》，果然很快收回了成本。接着就印了《往星中》。未名社印行了二十多种书，并印行了《莽原》半月刊、《未名》半月刊。

我们当时曾以为，鲁迅先生筹四百五十元并非十分困难的事，可是，以后读先生1924年的日记，竟有五处记载向老朋友借钱的事，因为先生自八道湾迁出后，在宫门口西三条买一处旧房，要用钱修缮。

鲁迅先生是很健谈的，他常说同青年人谈谈天，是他惟一的休息，并不觉得是浪费时间。所以素园、静农和我大约每两周去先生家一次，夜晚较多。记得两次同静农往访是在下午，一次先生留我吃炸酱面，这是先生爱吃的，每周吃二三次。一次留下我吃绍兴作法的烧鸡，大概并不是常吃的菜，所以留下我们尝尝。

先生喜欢吃炒落花生，也常用来款待我们，吃完总随即添上一些。一次盒里没有剩馀的了，先生笑笑对我们说,这次只好演一次"空城计"了。

齐寿山与鲁迅的几件小事

齐　熠 口述　江一青 整理

我父亲齐寿山,清末在北京译学馆读书,后来与蔡元培先生同行赴德国自费留学，辛亥后因祖父病重回国。

1912 年 5 月，在北洋政府教育部任职 (视学)的父亲结识了鲁迅先生,直至 1926 年鲁迅先生离开北京，十几年里他们同事相交，意气相投,进而成为挚友。当时我虽年幼,但有些事情却记忆很深。

父亲称鲁迅先生为"豫才"。他们几乎每天在一起,一起读书,议论国家大事。父亲还随同鲁迅先生参加了一些革命活动。那时父亲家境较好,经常邀请鲁迅先生外出吃饭、喝茶,有了困难也是相互资助。1923 年鲁迅先生和周作人关系决裂，父亲和好友许寿裳各借四百元钱给他，买下了阜成门内西三条胡同二十一号的一所四合院,这便是现在的"鲁迅故居"。

张作霖进关那年(1926),北平人心惶惶,父亲对鲁迅说:我不要紧,可你必须躲一躲。并在德国医院附近租了一处房子,让先生暂避一时。

1925 年 8 月 12 日，为北平女师大风潮事，

章士钊发布命令，非法免去鲁迅先生教育部佥事职，引起社会人士及教育部同事强烈不满。父亲和许寿裳(教育部部员)联名发表宣言，“章士钊一日不去，即一日不到部”，强烈要求恢复鲁迅先生职务，否则将共进退。记得一天夜里，章士钊乘马车来到西裱背胡同我家，劝诱父亲去上班，最后竟以停发薪金相要挟。父亲非常气愤，“不给就不给”！从此离开了教育部。但父亲没有退出斗争，还和鲁迅先生一同前往德国医院，探视在风潮中被殴伤的共产党员李桂生。北伐成功以后，父亲受蔡元培先生委托，接收北平各大学，届时教育部已更名大学院，院长非章士钊，父亲才没有离开北平。

父亲和鲁迅先生经常在一起阅读介绍苏联社会主义的文学作品，共同探讨人生。1926 年 7 月至 8 月间，他们几乎每天下午都要到中央公园(即现在的中山公园)，共同翻译荷兰望·靄覃的长篇童话《小约翰》。当时我正读高小，每逢周日父亲都带着我们兄妹几人同往中央公园，让我们在一边玩耍游戏，他和鲁迅先生开始对译，常常为一句话而争得面红耳赤。鲁迅先生在日记中这样记叙这段时光：“几乎每日到中央公园内与精通德文之老友齐寿山对译。”8 月 26 日，鲁迅先生离开北平，以后两位老友再也未得相见。

1936 年，我出国留学要途经上海，父亲再三嘱咐我要去看望鲁迅和蔡元培先生。我遵嘱先拜见了蔡先生。蔡先生劝我最好不要去看鲁迅，因当时白色恐怖，特务很多，且先生身体不好，别惹麻烦，故我没有见到鲁迅。

父亲1948年去了台湾。1949年11月，许广平女士到北京以后，很快找到我的大舅父于树德，询问我父亲的情况，得知父亲去了台湾，许先生非常遗憾地说：“多可惜，他为什么不留在北京呢！”

鲁迅先生救了女师三个人

李霁野

1930年秋，经李何林同志介绍，我来到天津河北女子师范学院英语系任教，直到1937年离开。这期间，女师校刊编辑孔若君因“共产党嫌疑”被捕，我们请鲁迅先生帮忙，他给许寿裳先生写了信，以我二人名义托汤尔和(汤是当时的大官僚)。大概因为汤说情，不久由另一朋友和我将若君保出。以后，若君暂住在那位朋友家。他一次深夜归来，连夜给我打电话，待韦丛芜和我赶到北平车站时，若君告诉我们，那位朋友被捕了。这就是鲁迅先生在《曹靖华译〈苏联作家七人集〉序》中所说的“新式炸弹”案。先生在文中说：“后来证明了这‘新式炸弹’其实只是制造化妆品的机器。”若不是先生帮助保出若君，我和丛芜又恰好被若君叫到北平，使当夜从北平去

天津捉我俩的特务扑了个空，未名社就可能有三个成员丧生。因为国民党特务声称，不仅发现了“新式炸弹”，还发现了“秘密室”，中藏大量“共产党宣传品”。其实我每次去北平，都住在“秘密室”的前三间，后三间由一个穿衣镜做门，里面存放破旧什物，所谓宣传品实际是未名社停办后存下来的书刊。幸而我们有一个燕京旧同学在警察局工作，通过他，我们弄清了里里外外的情况，所以事情解决得很快，被捕的朋友约一星期后就被释放了，这使国民党反动派大大丢了脸。对女师来说，鲁迅先生救了三个人，因为韦丛芜也是女师学院的教师。

故人琐忆

罗慕班

1935年夏，我走出大学校门，踏入社会。首先得到伍智梅的热情引导、提携，使我逐步能够自立。不论是和她在一起还是远离她的身边，时时事事都受到她充满真挚之情的教益，使我难以忘怀。

伍智梅原籍广东台山。其父伍汉持，早年远走海外，追随孙中山先生从事革命，是孙先生的亲密战友。“二次革命”中，伍汉持在天津被袁世凯杀害。伍智梅和她的弟弟伯胜、伯良、伯就，以革命烈士后裔都得到照顾，各有成就。因此，伍智梅不仅同孙中山先生全家有通家之好，而且同宋氏三姊妹都有相当过从，其中与宋庆龄最相投。国民党中的元老，大都属于她的世伯世叔之辈。记得当年在她的寝室壁上悬挂着由居正亲书的一条"明德之后必有达人"大字横幅，寄以勖勉和期待。

广东台山是著名的侨乡，侨居美国的人较多。伍智梅青少年时期赴美习医，专攻妇产科，发表了不少英文论著。回国后，正值北伐时期，她既未从医，也未从政，最关心的却是妇女的疾苦、妇女的地位、妇女的解放，决心从事妇女工作，愿为中国妇女做番事业。因此，她首先联合当时的妇女名流和妇女团体组成"广东女界联合会"，出任主持人。为了便于工作，她先后挂名国民党广东省党部委员及广州市党部委员。

在此之后，为募款设立"伍汉持纪念医院"，她再度去美国。募款归来，一切筹划事必躬亲，很快医院便开工兴建。这座医院，规模设施在当年的广州屈指可数，工程和装备需时，直到1938年10月广州被日军攻陷，医院尚未落成。

1936年8月，应伍智梅之约，我从南京到广州，襄助她从事妇女工作。我初出校门，学识经验都有限，她对我来说是一位长者，我一直尊她为师友，她也以我为她的得力助手，给以信任和倚重。通过她的社会关系，我结识了不少国民党上层人士、他们的夫人以及国民党著名妇女工作者。其中最初给我留下深刻印象的有两人，一位是何香凝女士，一位是朱执信先烈的夫人杨道仪。我和何香凝接触较多。当时香港《星岛日报》约我兼编《妇女周刊》，记得第一期何先生就为我亲笔写了一篇号召全国妇女奋起救国的文章。太平洋战争爆发，香港被日军占领，何先生适在香港，身陷绝境。广东省政府主席李汉魂及其夫人吴菊芳组织人员营救何先生脱险，我是被指定中的一人。我同杨道仪接触不多。抗日战争期间，汪精卫叛国投敌，她与汪有亲戚关系，被拉下水，充任为日敌利用的广州执信中学校长，有辱先烈，负罪国家，令人痛惜。

翰林卖字

高准

清廷科举至 1904 年甲辰科而告终。7 年后，辛亥革命，原翰林公星散，多以鬻字为稻粱谋。当时各大城市都有书画社及南纸笺商店，专营代客求购字画的生意，如北平的荣宝斋、天津的梦花室等，竞相给书画界名流印制“润例”——通称“笔单”，即价目表，汇订成册，置诸柜台，备顾客选订。店铺代订代收，按件只加收二成，称“墨费”，其利薄如此，所以生意倒十分兴隆。这给翰林公卖字提供了方便之门。

先君讳毓澎，字潜子，为癸卯科翰林。20年代寓居上海，便通过这一渠道卖字为生。当时银元仍为通行货币，他的“润例”：楹联及屏幅四尺以内四元，五尺六尺各加一元；堂额每字一尺四元，二尺八元；扇面跨行四元，单行八元；碑志百字十元；篆额每字一尺八元；题签二元。篆隶金石甲骨加倍。另有“文例”：散文每篇四元，骈体加倍；诗词题咏每首四元，绝句小令减半。在当时翰林公中，他订的价偏低，这些纸店纷纷促请提价，先君不为之动。他常说：“论我的字，本不值这么多钱。他们买的只是我的翰林图章。”这话听来是谦虚，不过当时确实要在名章之下加盖翰林印的。没有翰林功名的书法家也出润例，一般定价均低于诸太史，亦不全在字好坏也。

当时我们全家住上海租界地，三楼三底的一套住房，租价相当高。四个子女上学的学费也是一笔不小的数字，这样一家人生活，全靠父亲一人卖字维持，并不显得拮据。通常隔四五日便能积累起二三十件订单，集中一天内写完。当天一早，母亲以径尺大的墨海，用好几块墨结扎成束，要研磨它一个上午。父亲从午后一直写到深夜，往往到墨用完了为止，因为到次日，那隔宿墨便不能用了。先是母亲扶纸，常常瞌睡，颇不称意。后来常要我给扶纸。我从小善熬夜，精神专注，当拉当按，丝毫不爽，颇受嘉许。扶纸人必须神安气稳，目不离笔端，方能动作得度。长此以往，其运笔之法度乃深铭于心间。十几岁时，下笔便颇得其笔意，偶尔有一二字可以乱真；二十岁后，偶或代笔应急，外人亦未尝发现其为假冒伪劣之赝品也。

至于巨室豪门，当其寿辰，寿堂要挂寿屏。每堂八至十二条不等。遇到这种生意，连作带写，大约需五六天功夫。一堂寿屏文润笔合计可得二三百元。事毕，则全家下饭馆、看大戏，尽情游乐一番，花费亦不到十分之一。

40年代开始，书画生意渐衰，末班翰林公亦相继谢世，纸店生意于是另辟蹊径，“挂笔单”这种形式逐渐消失了。总计先父二十馀年的卖字生涯中，卖出去的墨迹近万幅，所用墨概由先母一手研磨。母亲到老年，右手拇指关节增生，突起一块如蚕豆大的骨瘤，亦无痛楚，盖磨墨积劳日久所致也。

“麦杆”的由来

王麦杆

我本名王兴堂，1921年出生于山东省招远县。青年时代因立志以木刻为革命武器，故取名“木革”以明志。十九岁时在上海首次以“木革”笔名创作木刻作品，刻画两个日本鬼子强行掠走婴儿的妈妈，取名《日寇暴行》。后因此被投入牢房。出狱后，将“木革”改为上海话的谐音“麦杆”。在以后的几十年革命生涯和艺术生涯中，虽先后更换笔名“梅进”、“张英”、“罗果夫”……但均不及“麦杆”流传广泛，并被载入世界美术全集和世界名人传。而本名则更为其所掩。

忆先师吴玉如解析唐诗

李鹤年

日前读小如师弟《听父亲讲唐诗》，很受启发，回忆起难忘的两次经历。

先师吴玉如讲李商隐的名作《夜雨寄北》。原句“君问归期未有期，巴山夜雨涨秋池；何当共剪西窗烛，却话巴山夜雨时”。儿时便已熟读此诗，平白如话，没感到多么深刻，但经先师讲来便觉不同。先师说：起句一问一答，看似简单，内蕴却丰富。问：离家甚久，健康在念，情况在念，如不适意，何如归来？几时可归？答：外出本为求个栖身，旧职离去(原在桂林郑亚幕府)，新职未就，家计无从改善，在外或遇机缘，非不欲归，实不能归！两手空空，归去又于事何补？漂泊无告之感，溢于言表。于是宕开说复信时景与情：“巴山夜雨涨秋池。”羁旅独处，孤灯听雨，萧瑟秋风，淅沥绵绵，池水早已涨满，其凄凉景象与孤寂环境拟归不得归之苦，跃然纸上！在逆境中聊以自慰而寄托未来。何尝是不知道什么时

候，但总有一天我会回去的，让我们促膝对坐，说不完的离愁，叙不尽的别恨，定当屡屡剪短窗前灯花，彻夜不眠，该是多么欢畅、和谐！那时将不会不回忆起现在给你复信时的心情和境况的。

先师接着分析说："二十八字看似平淡，却具特色。首先是时间的往复，由现在的归无期，想到未来归去的欢聚，再回顾目前景况。其次是空间的联系，巴山、长安、巴山。再次因时间、空间的不同影响到心情的变换，孤寂、欢畅与孤寂时的对比。总的表述则是生活无出路，政治上受排挤，有家归不得，心绪抑郁，愤闷忧伤！"

我念初中时曾学过白居易《琵琶行》，"绕船月明江水寒"句始终没搞通。执教志达中学，适逢此篇，遂向先师请教。先师说："这极简单，月出东方，照船东窗，月落西方，照船西窗，船未动而月行半周矣！"几十年大惑不解，片言冰释。每与南大同学王运新谈及，相与无限倾服！

先师见背十周年，问难无从，不禁泫然！

中原公司的选址

史斯闻 原作　王英奎 整理

1927年，中原公司(现百货大楼)在天津拔地而起，使当时英、法租界的繁荣景象，受到影响与威胁，而日租界与南市之间的商业网，却以中原公司为主体而接连贯通起来。直到解放前夕，中原不仅是天津最大的高层百货商场，在整个华北也首屈一指。

中原公司的创办人，如林寿田、黄文谦等，都是香港、上海先施公司培养起来的骨干分子，曾在该公司担任重要职务。他们商业经验丰富，深知经营大型商场有利可图。但由于资金短少，无法在上海滩竞争，遂毅然放弃上海，闯进华北广大商业阵地。

天津当时的法租界，已经逐步形成天津的商业中心。幢幢高楼不断建起，大小商店相继开业。原在城厢附近的老字号，著名店铺、钱庄、金店，也纷纷移来此间，生意兴隆，利市三倍。于是他们首先选择了这一带地方，以与上海先施、永安媲美，可以大有一番作为，遂与英商先农公司洽购现在交通旅馆所在的地皮。先农认为奇货可居，竟索价大洋十五万元，改口为十五万两，按当时物价换算，又提高六万元左右。这一打击，断绝了创业者在法租界争霸的念头，不得已转向日租界，就在当时的旭街中心(今和平路)，仅以三万馀元的代价，买下了建筑基地。从设计图纸开始，直到1927年底全部竣工，共用了一年的时间。大楼七层，计高一百英尺，塔身高度与楼房相等，以崭新的面貌出现在海河岸上，构成了俯视海河、鸟瞰全市的气概。楼房造价二十六万元，电梯、货柜及装修设备二十一万元，共计四十七万元。

1928年1月1日，中原公司正式开幕，特请民国总统黎元洪剪彩。万人空巷，盛况空前。于鞭炮齐鸣、乐声大作中，四门大开，千万顾客，拥进商场，竟日川流不息。

劝业场商业中心的兴起

张高峰 原作　王英奎 整理

早年天津的商业中心，在北大关一带。最迟在19世纪中叶，一些主要街道，如估衣街、锅店街、北门里、外大街等，已经开辟形成，商业日益繁荣发展。民国以后，战乱频仍，"壬子兵变"，接着两次直奉战争，这一带屡遭兵燹掳掠。"七七"事变后，天津沦陷，生活极不安定，人心惶惶，只有"国中之国"的租界，可以偏安一时，殷实之家遂搬进英、法租界。较大商店也认为租界安全有保障，可以安心经营，可以经销外国货，利润优厚。租界里集中了失意军阀、清室后裔、官僚、地主，都是难得的顾客。于是商店纷纷南迁，原在北大关等地的著名店铺，如恒利金店、谦祥益绸布店、正兴德茶庄、亨得利钟表店、登瀛楼饭庄等，都在1926年到1936年这十年间，迁到法租界，或在法租界设立分店。

劝业场一带，系指以和平路与滨江道交叉的十字路口为中心，东起大沽路，西迄山东路，北自锦州道，南至赤峰道，这样一个不规则的四边形地区。这里原来是天津县南郊，有农田、苇塘、荒地，后来有了一些砖瓦房。1920年前后，出现了小店铺，行业有南味食品、皮箱、皮件、西服制作和饭馆等。二三十年代,劝业场一带幢幢高楼拔地而起,浙江兴业银行、惠中饭店、劝业场、交通旅馆相继落成,大小商店如雨后春笋,脱颖而出,各具特色,争奇斗艳,逐步发展为全市的商业中心,1931 年至 1939 年为极盛时期。商场、商店、餐馆、浴室、舞厅、旅馆、影剧院鳞次栉比。仅影剧院、饭馆、舞厅即近六十处。

1939 年天津为大水所淹,1941 年太平洋战争爆发,日本接管了英法租界,租界这个"护身符"不复存在,劝业场一带也不景气了。直到解放后,这个商业中心才获得新生。

汉阳兵工厂记事

杨文恺 遗作　曹明贤 整理

汉阳兵工厂原名汉阳造枪厂, 系张之洞创办。光绪十八年(1892)已能制造"七九毛瑟"步枪,亦名"汉阳造"。该厂自民国以来一直归陆军部直辖。1920 年夏,总办刘庆恩患病辞职,一时无适当人选。我当时任湖北督军王占元的军务处长。他通过陆军总长鲍贵卿保荐我接任该厂总办。1920 年 9 月陆军部正式加以任命。

这年 7 月间发生的"直皖战争",以曹锟为首的直系取得了胜利。曹被委任直鲁豫三省巡阅使,驻保定,吴佩孚为副使,驻洛阳。计划扩充军旅向湖北伸进。1921年夏,吴令萧耀南率师进驻武汉,名义上是援助王占元抵抗湘军。然而当王占元于同年8月向北京政府辞职后，吴旋即升任两湖巡阅使来到武汉,萧亦成了湖北督军。因我是王推荐的,焉能久占要津,正拟向陆军部辞职。没想到吴的军务处长杜节文对我说:“大帅(指吴)对你很器重,你要安心工作。”我问杜:“大帅到湖北来一定准备有人接我的事。”杜说:“大帅对汉阳兵工厂很重视。将来各方面的军旅补充都要靠它。在保定时,曹、吴两帅商量过派人接汉阳兵工厂事。吴帅主张不忙派人,到湖北看看再定,所以曹大帅没派人。如果保定方面派了人,那一定以保定方面的命令是从。因此吴大帅才留下你。以后你要听吴大帅的。”我心里这才明白,我这个总办是在曹、吴矛盾中得到蝉联的,自然凡事以吴的命令是听了。不数日,吴命我准备步枪五千支、子弹五千万发,马克辛机关枪一百架、子弹一千万发,自来得手枪二百支,子弹若干发。我奉命之后,连夜备齐,随吴赴洛阳。到了洛阳,适有美国军火商人带来水放热机关枪样子,原枪已拆成零件,索价甚高。我设法让技工把枪样画下自己仿造,结果成功,效果良好。吴甚满意,当即命名为“廿节式”,命每月制造一百架配给直系各军。

1923年3月16日由洛阳转来曹锟的电报,大骂汉阳兵工厂总办有失军机，交由吴副使查明电复。在电文后有吴命我速备步枪、子弹、机

关枪、自来得手枪及各种弹药各若干，亲自护送保定为要的命令。我连夜备齐，送与曹锟。曹大为喜悦，这时想谋总办的人也随之消声灭迹了。

在这段时期我仅"代造外加格外费"一项，就先后汇给吴佩孚三百万元左右。1924年段祺瑞执政，我下了台。我一共当了五年总办。

天津最早的女子店铺

刘　琦　周恩玉

在旧中国，女子出来工作是一件非常难的事。1922年创办的天津"华贞女子职业传习所"以及后来的"华贞女子线店"成为20年代轰动津城的一大新闻。

20年代初期，由于受"五四"运动新思潮的影响，妇女要求人权平等的呼声日益高涨。1922年，在天津北门东路北，开设了天津第一家女子商店——"华贞女子线店"。老天津人都称之为"华贞女"。"华贞女"初创时名"华贞女子职业传习所"。这个传习所有着对即将就业职工进行上岗前培训的性质。"华贞女子线店"由经理到店员二十馀人，全部是女子。

该店的创办人是工商业者王兴周和林耀华夫妇，经理是林耀华。林耀华肄业于天津女子师范学校，和邓颖超同校，较邓颖超晚数届。她受

"五四"新文化运动影响,主张社会应为妇女开创走入社会的途径。她的设想得到丈夫王兴周的大力支持,于是,1922年开设了"华贞女子职业传习所"。起名"华贞",是取林耀华的"华"字和她的别名"淑贞"的"贞"字。

"华贞女"女店员大都识字,会算帐。经过一段培训后正式开店营业,定名"华贞女子线店",请著名书法家华世奎写了匾额。"华贞女"得到当时社会各界的支持,许多知名绅商赠送匾额"保护女子职业"。"华贞女"主要经营百货、针棉织品。创办初期由于经营方法灵活,价格合理,一度生意十分兴隆。经理林耀华每天很早就来到店里,检查营业前的准备工作,她对女店员要求十分严格。但可悲的是当时妇女在社会上并没有真正的地位。"华贞女"开业一段时间以后,就常常有一些人怀着好奇心前去"逛庙"(只逛不买东西),一些地痞流氓混混儿亦经常光顾,拿女店员取笑找乐,围观调戏,致使许多女店员吓得不敢上班,纷纷提出辞职。林耀华、王兴周曾多次请警方帮忙,并两次给女店员增加工资,但终不能维持,无奈于1930年与广泰兴百货店合并,改名"华贞线店",将原女店员全部辞退,换成男店员。"华贞女"虽然开业仅几年,但它却开创了天津女子职业的先河。

贻来牟机器磨房

王槐荫

中国的现代化面粉工业，据孙毓棠《中国近代工业史资料》记载，开始于1863年(同治二年)由英人创办的得利火轮磨坊，可能规模不大，存在时间不长。而由中国人最早创办的，则当属天津的贻来牟机器磨坊。它是由清末曾任天津海关道的一位洋务派官僚朱其昂所设。他看到面粉工业在中国尚付阙如，而且有利可图，于是在1878年(光绪四年)于紫竹林原市图书馆附近，创办一个名为贻来牟的机器磨坊。这个厂名用英文、中文都可解释。英文的原名为Element，这里是音译，其原意为“元素”、“基础”，取意为最早的意思。用中文解释，则为引用了《诗经》中《诗·周颂·思文》“贻我来牟”之意，此处所说牟即大麦。

该厂设备系用进口的锅炉，带动从德国进口的质地特硬而耐磨力强的石磨。因为用蒸汽作为动力，习惯称为火磨。当时有技师二人，工人十馀人，每年盈利白银六七千两。后来因锅炉爆炸失火，工人死伤，机器被毁，因而歇业。

这种机器磨坊，虽尚非用钢磨磨粉机的现代化的机制面粉工业，但与房屋简陋、尘土飞扬、粪便狼藉、效率极低的人力及畜力磨坊相比,已经是很大进步了。

由于此类磨坊较为先进,而且盈利,因此继之开业的尚有富亚、天利和、瑞和成、大来生、正泰祥、同丰祥等许多户。可能由于以后机制面粉工业兴起,而受淘汰,但至今在河北区金家窑街道内,尚有以机器磨坊为名的两条胡同。

天津纱布业新八大家

刘续亨

天津纱布业是从 19 世纪 70 年代开始的。当时主要进货是英商洋行从印度进口的牛耕田棉纱,行销市面,以批发为主,如隆顺号、义德泰、益泰昌、景德和等都是那时开业的。至清末民初,经营纱布店铺不断增加。零售兼批发的有:元隆、敦庆隆、瑞林祥、谦祥益、瑞蚨祥等,专营批发的有瑞兴益、同益兴、万德成、同兴德、恒泰永、华信成等。1918 年成立同业公会,至 1922 年入会的有七十七户(山东孟家祥字号未加入),集中在针市街、竹竿巷、估衣街一带。

欧战期间,帝国主义势力无暇东顾,天津棉纺织业趁机发展。华新、北洋、恒源、裕元、宝成、裕大等纱厂相继开业,纱布庄亦有增加。因欧战关系,西洋货源减少,市价高涨,而瑞兴益、同益

兴等派人去日本大阪驻庄采购，获利颇丰。战后，西洋订货陆续发来，但由于金本位币贬值，汇率差价，成本较低，使天津纱布业获有双倍巨额利润。

当年纱布业获利最多的字号是：瑞兴益，股东是金桂山和潘耀庭；元隆绸布庄，股东是孙焜轩和胡树屏；敦庆隆，股东是纪锦斋和乔亦香；同益兴，股东范竹斋；隆顺号仁记，股东卞荣卿。这五家纱布庄获利最多的约五六百万，少的也有三四百万元，是20世纪30年代天津工商业中获利最丰的著名大户。这五家字号除经营本行业务外，还大量投资银钱业、工业、商业和房地产业。鉴于这五家纱布庄股东金、潘、孙、胡、纪、乔、范、卞八家的财势，可与天津老八大家相媲美，时有纱布业新八大家之称。

关于所谓八大家的说法，并无一定标准，只是依据他们在天津社会地位，盈利丰厚，在天津工商业中有较高声望。但新老八大家实质上有很多不同之处。老八大家是在清末咸丰年间兴起的，而新八大家则是民初开始兴起的。老八大家有四户是半官半商的盐商，有一定社会地位；而新八大家都是经营纱布起家的，社会地位并不显赫。老八大家讲究排场，显赫邻里；而新八大家生活比较朴素，与老八大家不可同日而语。

两个茶庄的商战

李云冲

棋错一招，全盘皆输。搞商业也有这种情况。

1936年，正兴德茶庄的总帐刘少波、广告主任、采办、推销员等与老板产生矛盾而集体辞职，集资三万元，由刘挑头儿，在正兴德竹竿巷总店的对面，开办了成兴茶庄。其信条是："成大事业惟信用，兴立基础在精神"，冠顶乃"成兴"二字。他们设计的注册商标为星辰朗照下的万里长城，谐"成兴"之音，匠心可鉴。

他们是从正兴德营垒中冲杀出来的，知己知彼。在经营中扬其长为我所用，避其短为我所戒。他们精诚团结，锐意改革，重质量，守信誉，加强广告攻势。当时小梨园演出用的桌围全由成兴供给，绣花锦缎，醒目精美，上绣演员之名，下缀"成兴敬赠"。角儿换，桌围更，与场内横幅相辉映。马连良到津演出，他们便与中国戏院相约，售一票，赠"成兴"袋茶一袋。电影院开片前经常映出成兴袋茶的广告。当时电话机的话筒兴包红绸，以利卫生，成兴就免费分发，上印"电话购茶，随时送到。成兴茶庄敬赠"，拿起话筒，就见成兴。一时间，成兴盛誉满津门，广告宣传无孔不入。旅店、浴池、水铺、茶摊、街头巷尾杂货铺,无处没有成兴袋茶。

再说正兴德人才流失,元气大伤。虽有百万之巨的资本,由于经营方法上放不开手脚,因循守旧,以致入不敷出,只有招架之功,没有还手之力。更使正兴德进退维谷的是一项决策的失误,那是 1937 年,日寇侵华,民不聊生,百业凋敝。正兴德想借助日籍台湾人林某“正泰春记洋行”的洋招牌重振雄风,便把自己的福州茶厂易帜。区区数日,抗日统一战线形成,日籍洋行被视为敌资,悉数归公。

成兴呢,却不惜负债南下进货,加强储备,然后乘虚而入,广占北方市场。

这场旷日持久的茶叶商战,历时二十个春秋,结果是:成兴资本发展到四十八万元,是创业之初的十六倍;而正兴德的百万巨资反剩下三十八万元,减少了三分之二。

日本浪人为八国联军赚开津城

陆文郁 遗作　王大川 整理

1900年7月14日(清光绪二十六年六月十八日),天津城被八国联军攻陷。天津失城的前一天,日本方面派出几个人假装中国人混进城里,其中一个叫铃木太郎的化装成和尚,于转天即14日天未明时偷开了南门,引进联军。我深知此事是1900年冬天,旧同学金广才的父亲娶其继母时,雇一日本人随轿保护,因而得知。

原来八国联军进天津设立都统衙门后,民间喜寿事不准动响器或放炮等,尤其喜事须花钱雇一护轿的,以防外国兵拦轿罗唣。被雇的多为日本人，雇值仅大洋一元。金广才便于是时约好一个日本人在他家教日语。因为师生感情很好，金及几个同学约老师到侯家后吃“狗不理”包子，老师又带来一个日本人。这日本人说得很好的官话，便是那偷开城门的铃木，他也一起去吃包子。他酒醉时，红着两眼说出7月14日不费兵力进天津是他“对中国人的恩德，中国人少死了好多”，言谈中非常盛气凌人。同学们听着满腔怒火，但表面上只得装作镇静，未作答话。后来，铃木又去“狗不理”吃了两次包子，不久暴病身亡。国人出于痛恨，传说他是因吃“狗不理”包子过多，受“风砍食”死了。

抗战期间国民党的妇运工作机构

罗慕班

1937年“七七事变”爆发，7月17日蒋介石在庐山发表谈话，认为国家存亡临到最后关头，全面抗战从此开始。宋美龄为配合抗战需要，先后成立“中国妇女慰劳自卫抗战将士总会”及“战时儿童保育总会”，并于各省市设立分会。当时广东省这两个分会都由伍智梅主其事，前者由雷励琼负责实际工作，后者由我负责。随着抗战局势的发展，为了动员全国妇女参加抗战工作，1938年5月20日，宋美龄邀请全国妇女界知名人士共四十八人，在庐山举行谈话会。伍智梅及共产党人邓颖超、孟庆树被邀出席。谈话会的主题是讨论战时妇女的任务，如何动员和发扬占全国人口半数的妇女的优势，为抗战贡献力量。经过五天的讨论，制定出《动员妇女参加抗战建国工作大纲》。当时正值前方抗战紧张，为了应急，不容另设机构，决定将宋美龄领导的"新生活运动促进总会妇女工作委员会"改称"新生活运动促进总会妇女指导委员会"，作为全国妇女参加抗战的最高领导机构，并推宋美龄出任指导长。同时决定各省市及各县市"新生活运动促进会"一律设立"妇女工作委员会"，在新生活运动促进总会妇女指导委员会指导长的领导下开展工作，以各地方首长夫人为主任委员，设委员若干人，其中由总干事一人总揽全部工作，其下分组办事。

当时妇女指导委员会之前冠以"新生活运动促进总会"，各省、市、县的妇女工作委员会之前也照此办理，其实仅属名义。两者之间，人事、编制及经费各自独立，工作及活动互不相干，这一实际情况，外人多不清楚。

伍智梅从庐山回到广州，就着手组织广东省新生活运动促进会妇女工作委员会，由当时广东省政府主席吴铁城的夫人马凤岐出任主任委员，林苑文、邓不奴、黄翠凤、李秋蓉、雷励琼、郭顺清、李峙山、上官德贤和我为委员,伍智梅为委员兼总干事。为了适应前方浴血抗战的迫切需要,一经成立,就积极展开工作。此前成立的广东省妇女慰劳自卫抗战将士分会及广东省战时儿童保育分会,援妇女指导委员会的成例,作为广东省妇女工作委员会直属的两个机构。

抗战时期正值第二次国共合作,广东省妇女工作有以区白霜(现名区梦觉)为首的一批共产党妇女工作者参与。至1937年11月,国民党弃守上海后,继有罗淑章为首的一批共产党员的妇女工作者参与。对此,伍智梅表示热烈欢迎,并对全体工作人员讲:"人各有信仰,我们要尊重她们,同为救国,并肩作战。我们一定要精诚团结、亲密合作,不要受别有用心的人挑拨离间。"这件事至今记忆犹新,对我的影响很大。

国民党"国大代表"选举侧记

王英奎

1948年,国民党准备召开"行宪国大",选举"总统",因此,年初,天津即忙于选举"国大代表"。由于连年内战,民不聊生,广大群众对国民党的统治已经失去信心。因而,对这场选举普遍反映冷漠,只有少数人很活跃。当时,很多人都看到,有人身穿长袍马褂,衣冠楚楚,走上电车,向乘客们拱手为礼，说："我叫×××，天津市人，现在竞选'国大代表'，请投兄弟一票……"有人为别人拉选票，条件是，投一票，请一顿饭，作为酬谢。在直接税局内，也有人为直接税署署长王抚舟的夫人王化民竞选"国大代表"而奔忙。直接税署的一位督察和王抚舟在直接税局的几位亲信，共同筹办此事。局里人杂不方便，就在官员们的宿舍里进行。

王化民当时是"立法委员"，原籍河北省某县，她这个"国大代表"，本应在县里选举产生。但该县已解放，只好在天津选。选民从何而来？从税局抽调了几位工作人员，编造了一套假花名册，并由全体税局人员，冒名顶替去选。但人数仍不够，局里有人与王化民是亲戚，家里开织布厂，就把厂里的工人也拉来投票。

税局人员的投票选举，是分成许多批进行的，每批约二三十人。一起坐上汽车，到金钢桥北一个学校里投票。表面上，选举场所布置得颇为隆重、庄严，有宪兵站岗，有人监选。但因为事先打通了关节，没人查问，选举进行得非常"顺利"。每人投票两三次，第一次投票后出来，互相换换衣帽，再冒充另一个人，投第二次票，乃至第三次票，选举任务就完成了。就这样，王化民被选为"国大代表"。

记国民党天津直接税局的裁员

王英奎

1948年夏天，国民党面临军事、政治、经济总崩溃，为挽救危机、节约开支，乃进行裁员。直接税局召开了全体人员大会，局长李献琛讲话，略谓：由于经费关系，要裁减一部分人员，究竟裁谁，必须经过慎重研究，把问题摆到桌面上来，任何人都不能随便决定。还动员说，天地之大，四海为家，何处不能安身？不一定终生呆在这个机关。

由于涉及每一个人的饭碗问题，会后人心惶惶，纷纷议论，工作完全陷于停顿。这时，我地下工作人员给全局各科、室写了公启信，通过邮局传递。信的大意是：大家平日为国民党吃苦、卖命，但到他不需要的时候，却一脚把你踢出去；鼓励大家，增强信心，奋斗到底。有位科长，一看是公启信，也未考虑是哪里来的，什么内容，就拆开给全科人员念了一遍，于是消息很快传开，轰动了全局。

事情直闹到秋初，裁员名单终于出台了，却没有敢开大会公布，更未摆到桌面上来，而是个别通知的。为减少阻力，裁下来的大部分是日伪时期的留用人员。被裁人员在共产党的鼓舞影响下,到处请愿,要求复职。局方对此表面上气势汹汹,请来警察站岗保镖,装出要进行镇压的样子,实际上慑于群众的压力,暗中作出妥协让步。那时天津局势正处在解放前夕,有些人不了解我党对旧军政人员的政策,要求调离。局方答应,每调走一个,被裁人员就补进一个,这样陆续补进了一部分,斗争取得初步胜利。不久天津解放,接收了国民党的直接税局,被裁人员才算全部回来。

李鸿章与马大夫医院

齐植璐

天津人民医院的前身是马大夫医院，全称马大夫纪念医院，是一所具有一百三十年历史的老医院。它同晚清的直隶总督、北洋大臣李鸿章有过一段不平常的因缘。

1860年英法联军入侵,在大沽口登陆。时英军有一随军医疗所,进驻天津后,即在紫竹林附近开办了一所门诊部，为外国驻军和在津的外国人看病。后来也接待中国人,并在所旁边建了一个小教堂,在治病的同时进行传教活动。1868年英驻军将医院交英国基督教伦敦会接管,改称基督教伦敦会医院。

1879年3月，伦敦会派遣马根济(John

Kenneth Mackenjie)由汉口来津主持该院。他来院后看到医院设备欠缺、基金匮乏，影响医务发展，遂上书李鸿章请求援助。其时正赶上李的妻子身患重病，经许多医生诊治无效，后请马根济治疗，很快痊愈。李对马根济及西医术大为赞赏，于是为之倡醵基金。一些官僚、买办、富商、士绅纷纷捐资，又由官方捐地，不一年新院即告落成。在 1880 年 12 月开业应诊的那一天，李鸿章莅临主持开幕典礼，还送了一副楹对，其中一句是："有治人，有治法，不妨中外一家。"

随着医疗业务的发展，马根济渐感到医务人员的不继，因此决定成立医学堂，培养西医人才。1881 年，在李鸿章支持下，创办了一个医学馆(1893 年改名北洋医学堂，后又改为海军医学堂)，由马根济亲自任教。

由于受到马根济医术高超的影响，李鸿章对西医学术甚为信服，曾于 1889 年 10 月写了一封宣告支持和赞助西医学校的公开信，在香港《德臣西报》上发表，曾引起孙中山的老师康德黎的注意。

1888 年 3 月，马根济因劳累过度而去世，终年 37 岁。1924 年伦敦会医院新建医院大厦落成，伦敦会为了表彰马根济大夫在建院初期惨淡经营和把西医科学最早在天津传播所做的贡献，特把院名改称为马大夫纪念医院，一直延用到解放后由国家接管，更名为天津人民医院。

严翰林指责“圣人之偏”

齐植璐

严修在学部时尝谓:“孔子之教，为中国万世不祧之宗。”但这位太史公却有一次竟公然指责起圣人制礼立教的不公。那是民国三年(1914)他在《结婚满四十年纪念》诗中对“新吾持论最公平,世上宁惟女慕贞?”自注:“《呻吟语》卷五:‘夫礼也严于女子之守贞而疏于男子之纵欲,亦圣人之偏也。’”他在这里是借明人吕坤(字新吾)在所著《呻吟语》中所说的那段话,对圣人之教提出异议。严氏认为,男人对女子也应该“从一而终,有悖此义,则也是一下贱的男人”。所以他在同一诗中又云:“人言罪过是风流，我觉风流士可羞！”“终身耻作狭邪游。”他不仅自己严戒冶游，而且在朋友交往中,“宴会间遇有征伎侑酒者,即托故辞去”。

1916 年,北京公园内曾有一名为“社会改良会”的组织,其宗旨中对纳妾一事急呼痛诋。严认为正合己意,特地加入该会为会员,并将松继云怒斥“纳妾之人不齿于人类”的《臆说》一书推荐给该会,在会刊上予以发表。其尊重女权、妻权也如此,以他那样的出身,又生活在那样一个时代,能如此为妇女鸣不平,对圣人提指责,确

很难能可贵!

他根据国外的所谓“银婚、金婚”之说,提出一项逢十纪念的新倡议。他说,“泰西风俗,结婚满二十五年谓之银婚,满五十年谓之金婚,到期则有祝贺之举。夫金与银何必拘?自今伊始,每阅十年,则为一次之纪念,又何不可?世有以此为趣事而导扬鼓吹者乎?或者伉俪之风由此日笃,士无二三之德,而人人有百年偕老之愿”,所以他愿“普为众生亲说法,糟糠莫使叹仳离”。

严修虽终生屏绝声色之好,但在1914年游历欧洲时,却也曾发生过一段有趣的插曲:在游意大利庞贝古城、参观二千年前火山崩陷之遗迹时,他听说这里原有妓馆,不禁哑然失笑,戏题诗一首:“平生不履平康里,人笑拘墟太索然。今日逢场初破戒,美人去已二千年。”

冯玉祥怒杀李彦青

曹继宗

李彦青原籍山东省德平县,自幼家境贫寒,生活颇为艰难。到他十九岁的那一年,在家乡实在混不下去了,只好背井离乡,去“走关东”,在东北吉林省长春市的一个澡塘里当上了伙友。

当时是清朝末期,北洋新军第二镇统制曹锟正在长春驻防,经常到这个澡塘洗澡。

李彦青听说曹锟是个大官，就格外巴结，殷勤招待。曹锟满心欢喜，就让李辞去澡塘伙友的职务，到自己身边当差，并将其大哥曹镇家中女佣人的女儿许配给他做妻子。

由于得到曹锟的宠爱，李彦青官运亨通，步步高升，从副官升到直鲁豫三省巡阅使署军需处长，又升到总统府收支处长，掌握了财政大权。

曹锟是继冯国璋以后，北洋军阀中的直系领袖。当时直系的正规军共有二十五个师。李彦青在每月发放军饷时，每师克扣两万元，宣称是给大帅(指曹锟)的报效，仅此一项每月就有五十万元之多，实际上这一笔款项，大半进了李的私囊。后来，李彦青的权势越来越大，胆子也越来越大，逐渐发展到每月给各师旅发饷时，按九成、八成、七成、六成、五成不等分发，其多少全看他和各师旅(指混成旅)的将领的关系好坏而定。各师旅将领因此对李都争相笼络，有的馈赠财物，有的结拜金兰。

当时很多军政要人，经常有事必须谒见总统曹锟，但首先要通过李彦青这一关，能否见到，这个权力掌握在李的手中。这就又给他造成了另一个敲诈勒索、贪污受贿的大好良机。

李彦青采取种种手段聚敛了一千多万元的财产，而且染上鸦片嗜好，还经常到妓院花天酒地，寻欢取乐，因此耗费巨大，悖入悖出，所剩无几。

当李彦青用少发军饷的手段，向各个将领敲诈勒索时，惟有冯玉祥将军不买他的帐，既不拉拢他，也不贿赂他。李是势利小人，就对冯玉祥施以报复，给冯部下发的军饷是最少的，甚至有时停发，以致冯的军队陷入财政窘困，不能按时发饷。

冯玉祥因此恨李入骨，在 1924 年的第二次直奉大战中，发动了北京政变，在软禁曹锟的同时，命令部下将李彦青逮捕监禁。

李彦青的妻子倾家荡产，凑集了四十七万元送去，打算做为李的赎命费。但冯李积怨太深，冰冻三尺，非一日之寒。所以花钱赎命的事情，终于未能成功。

最后，李彦青被冯玉祥枪毙于北京。

巧对得官

张达骧 原作　陈天放 整理

光绪二十九年(1903)，在北京一次宴会上，张之洞与袁世凯同席，蔡绍基(广东南海人，美国耶鲁大学毕业)亦在座。席间，有客请作"诗钟"以遣兴，并提出以"蛟断四唱"为题。张之洞应声作出"射虎斩蛟三害去"的上句，下句当然应由袁来对。袁虽能诗，但于"诗钟"殊非所长，颇露窘状。蔡绍基一时福至心灵，忙解围道："我抢宫保对一句,大家看如何:‘房谋杜断两心同’。”(上句周处故事应蛟;下句以房玄龄、杜如晦辅唐太宗事应断)全座交口称赞不迭。回驿后,袁保蔡为海关道兼理外交事务。二人成为挚友。

周仲铮奋争女权

周慰曾

1921年暮秋,曾于清末光绪卅二年到卅三年间任两广总督的周馥在天津家中逝世。治丧期间,他的孙女仲铮为向父母争取入学校求学和婚姻自主的权利,离家出走,只留下和她联系的《新民意报》编辑部地址。当时轰动天津,被报纸称为“周仲铮事件”。

周仲铮十五岁时,订了一份《新民意报》,从报纸副刊“女星”上,读到不少抨击揭露旧礼教男女不平等、婚姻不自由的文章。她深受教育启发,给自己起了个名字“仲铮”。“仲”因她有个大姐,她排行在二;“铮”取铁骨铮铮的意思。她用这个名字给“女星”写信,请求为她争取入学校求学和婚姻自主权利给予援助。“女星”是由李峙山(天津早期妇女运动领导人)出面给她复信的;几次书信来往,在她表示“出走是便于和双亲谈判”后,始同意她的要求,嘱咐她先做准备工作,等待机会。

她的祖父逝世,父母都要去守灵,不在家。时机到了,她给李峙山写信约好时间地点,并讲明了自己的穿着。李峙山则给她寄来一张本人照片,以便见面。出走当天,她用父亲名义给银行打电话,要来五百元现洋,用衣服裹了三百元,另二百元交给大姐暂存并要求对出走保密。她趁午饭后都休息时,溜出大门,到电影院和李峙山见面。然后,换上黑布衣裙,辫子梳成发髻,在《新民意报》编辑部的一位施先生陪同下,乘火车到了北京,先住在李峙山事先安排好的一位大姐家里,后住进米市大街女青年会。

她出走后,《新民意报》就刊出了她父亲的寻人启事,要她回家商议;她也接到了大姐、三弟透露家庭内部消息的信。同时,《新民意报》连续刊登了关于她出走的讨论文章,还发表了她双亲、塾师、她以及读者的诗。

最后,《新民意报》总编辑马千里建议她向她父母提出回家条件,以求和平解决。她提的四个条件是:一、允许她大姐和她上女子中学,以后上大学出国留学;二、允许她和大姐有决定婚姻的自由;三、立即送她大姐上女子中学,作为同意保证;四、回家后,双亲不再谈论此事,不对她横加指责。这些条件要在她父母同意的证人面前签字后,才能回家。

几天后,她接到马千里来信,告诉她父母已接受了条件,她大姐已到天津女师就读。

她在北京定做了三枚银别针,镌上"牺牲

者"三个字,带回去作为和大姐、三弟共同合作的纪念品;在一位女教师陪同下,回到天津。她二哥到车站接她,告诉她一切放心。她跪在母亲面前,献上一包母亲最爱吃的北京点心,母亲流下眼泪,说声"起来吧",便没事了;父亲由安徽回到天津,看见她,也只是说了声"你回来啦",就一切都顺利过去了。从此,她每天和大姐一起到天津女师上学。

"周仲铮事件"到此虽已结束,但无异是对天津各大家的封建堡垒投进一枚炸弹,起到相当的震撼作用;周仲铮本人至今念念不忘马千里、李峙山是她的救命恩人。

黎元洪之丧

周骥良

黎元洪在两任大总统、两度被赶下台之后,于 1924 年初夏息影津门,身体逐渐衰弱,由胃病而高血压而糖尿病。四年过去,1928 年盛夏卒于天津。天津有出大殡之风,一个赛一个的豪华、铺张,并以此为荣。大总统的丧事又将如何?在幕僚和家属集议之下,以他是辛亥革命武昌首义中被拥戴出来的领袖,当然要有民国之风,把重点落在武昌首义的特点之上,在天津出了个改良的大殡。送殡的人很多,沿途看出殡的人更是人山人海。其殡丧仪式与天津过去习俗大不相同,在天津的丧事史上绝无仅有。

送殡行列由军乐队开路,接着是陆海军。因为当时大总统也是陆海军大元帅,步兵由刚刚进驻天津的傅作义队伍派人担任,海军由沈鸿烈派一队水兵担任,空军那时中国还没有成军,然后就是灵车。灵车用黑绒包扎,镶着白纸花。车前用几匹黑布拴成两条长带,由他生前的友好及旧属用手执着前进,是为执绋。灵车上的灵柩覆盖两面旗子。一面旗是辛亥革命时在武昌使用的旗,旗是红地,中有大黑星,旗周边镶九个角,每角内外有两颗小黑星,象征当时的十八省,黑红二色是象征铁血主义的。这旗后来不用了,这是特制的一幅,以纪念他参加“武昌首义”。另一面旗是青天白日旗,但这里也不仅做国旗解释,因黎出身于海军,海军军旗一度就是青天白日旗,而他的两任大总统都是打五色国旗的,也可说是用心良苦了。灵车后面就是送葬女眷的马车。送葬的行列在租界地里绕了个大圈,最后停在他的客安别墅。他的灵柩便暂停在那里,随即在停灵的地方建了一座弧形的圆柱廊。1933年迁葬于武昌土宫山。其实他父亲的坟墓就在北塘。他之所以葬到武昌,仍然是落在武昌首义的意义上。

黎的改良出殡也有仍落旧套之处:一是儿女送葬仍然披麻戴孝,似乎不这样于心不安;一是请了和尚与喇嘛诵经,但未送葬而已。

马甲藏宝案中案

张　仲

1947年4月5日，天津地方法院刑庭推事黄哲与妻吴新及岳母，送一件马甲到中美洗染公司去洗。待到16日取这件短外套时，黄等忽说马甲垫肩内藏有金锭一枚、手镯一支、钻戒一枚、美钞五十元。黄哲、吴新手持金锭、手镯为证，说丢了钻戒与美钞五十元，并出示拆烂了的垫肩。洗染公司不服，黄哲为原告，形成诉讼。洗染公司经理黄定发与洗染工人严志高、李振钊立即被押进牢房。黄哲声言，公司若不赔两条半(廿五两)黄金，将被封门，黄定发等人亦将被枪毙。但虎头蛇尾，到5月29日，天津地院刑庭却宣判洗染公司三人无罪开释。只是黄哲扬言，金饰是私人薪资积蓄，因多年流离，习惯于将私蓄隐藏。此案轰动一时，新闻媒体曾多次报道。

到底来路如何？河北高等法院院长邓哲熙一再派员调查，北平监察使署也表示必须"一肃官箴"。后来却无下文了！

原来此吴新，系中原公司(现百货大楼)五楼凤凰厅的红舞女金红，本名张洪英。抗战胜利后，国民党接收大员——华北区海军专员办事处平津分处主任、海军上校刘乃沂，在舞场对金

红一见钟情，收为三姨太太，将接收来的上海道临河里十号房屋一幢，做为金屋藏娇之所，金红又化名吴新芝。刘乃沂是大贪污犯。1946 年 8 月 27 日下午 4 时，单是在他家搜查到的实物，就有：黄金九十两，金镯十二只，珍珠两袋计十五斤，美金万元，新皮衣一百五十件，小汽车两部，及日商中川、裕中等洋行的房地契若干，还另外藏鸦片烟七斤半。总计约值当时伪法币五十多亿元！刘乃沂接收才不到一年，真是“劫搜”有术了。一时群情激愤，国民党当局不得不枪毙了他。

三姨太太吴新芝，在审理刘乃沂一案中被涉及，因而结识了当时同军法官会审此案的河北高等法院推事黄哲。她去了“芝”字，改称吴新，做了黄哲的老婆，于是演出了马甲藏宝的一幕。

王青芳的婚姻

曹明贤

木刻家王青芳的婚姻观，是由一次婚变形成的。他那木刻家的称号，曾陶醉了一位年青貌美的少女，千方百计要跟他结婚。

青芳和画家李苦禅都是白石老人的高足，他家墙上就挂着他和苦禅同白石老人的合影。当青芳就婚姻问题问及李苦禅时，李告诫说：

“九思(青芳字九思),你们一个是不遗馀力地钻研艺术,一个是想方设法追求享受。在一起是不会和谐的。你应该三思而后行。”青芳听了非常同意,很风趣地说:“坚决劝退!”

但是,两个人来往了不到半年就结婚了。可是,结婚不到一年,他们就离婚了。原因,果然没出李苦禅的预料。

青芳平日蓄着长长的头发,穿着蓝布大褂儿,经常不刮胡须,出门夹着包木头的黑布包。虽然身为艺专、美专的讲师,但生活并不十分富裕。而那位少女却总要求他换穿西装,陪伴她去跳舞。他开了个玩笑说:“我穿上西装不会走路。跳舞吗,倒是美事。可是,我既没钱又没时间。”慢慢地两个人的感情发生了裂痕。与此同时,青芳又发现她跟她的表哥几乎形影不离!气得青芳见人就说:“我们的感情沦陷了!”所以,很快双方就同意离婚了。

不久,青芳跟一位貌不美但德望高的邻女结了婚,生活得非常幸福。一年后生了一个男孩,成了全家的一台戏。爱人在生活上无微不至地照顾他,在事业上更尽心竭力地支持他。青芳在她的艺术要讽喻时弊的思想影响下,停刻了三国人物。记得他曾刻了一只低头吃地上草的驴,题词是:“为了吃饱肚子,哪怕把头低到地皮里去呢!”这在沦陷时期是切中时弊的,因而受到了普遍赞扬。从此,他的木刻作品和木刻理论大为提高,时常见诸报端。

马连良来津的夜宵

张　仲

京剧“四大须生”之一马连良，过去常来天津演出。他习惯坐夜车从北京来津（住惠中饭店）。20世纪40年代的中晚期，北京开出的“蓝钢皮”火车，于21时50分(晚上差10分10点)准时开到。彼时老车站项家胡同西口外，有一清真饭馆，马每次到津，必有这个饭馆的一穆姓“跑堂的”(服务员)在出站口迎迓。

跑堂的一见马连良带着跟包的出来，道过“辛苦”后，就把他们领到饭馆楼上。接马老板的汽车也跟到饭馆门口等候。这时，已经给准备好一桌夜宵。其实是很简单的饭食：炒虾仁、砂锅墩(清墩牛肉)、爆三样、片汤，还有两个烧饼和一壶(就是一锡壶)热酒。

马连良是穆斯林，上楼瞥见桌上摆的饭菜，连连用北京话说：“您瞧我这恩殿！”(“恩殿”阿拉伯话为幸福意)然后就座。

马连良因是演员，又有自己的食性。他通常只喝一小盅酒，吃几口虾仁，再把一个烧饼撕开，挑两三块不肥不瘦的牛肉，夹着吃做主食。然后，把爆三样的汁，倒在片汤里喝两口——因为爆三样里有蒜米，为保护嗓子不能吃，但又为了有点滋味儿，就只吃点汁儿。这顿饭就算吃饱了。剩下的全归了跟包的。每次来津演出，如无他的夫人陈慧琏同来，必是如此，成了习惯。

这也算一个少数民族大演员的养生之道罢。

陈德沛先生创办文安女校

陈嘉祥

光绪三十一年(1905)，清廷决定废除科举，推行学校教育，兴办各式学校成为一时之风尚。惟实施之初，狃于封建积习，阻力甚大，尤以兴办女校为甚，在偏僻县邑兴办女校则更为艰困。

清宣统元年(1909)，吾乡名儒陈德沛(芗阁)先生，以癸巳科举人任礼部太常司员外郎时，曾倡议兴办文安女子学校，深得乡人赞许。是时经费校舍均已筹措有绪，惟女教师难于聘请，使计划未能实现。盖无女性教师，则县乡女童观望不前，不肯入学。

清室倾覆，先生返里，再次倡导兴办女校，得文安县令与县乡各界之大力襄赞，经多日之筹划，于民国九年(1920)春，正式建成“文安县立女子国民学校”，开河北省各县兴办女校风气之先。校址设于县文庙西侧之旧学署内，院落两进，房舍九间，经费由县斗行及牙行项下筹拨，

并聘得天津北洋女子师范第一期毕业生邓君作女士担任教习，讲授修身、国文、算数、史地等课。先生担任义务职校长。第一班共招收七至十岁女童十五人。创办之初，困难重重，均赖先生之引导，得以安然度过，但其艰苦情况，可以想见。

嗣后，该校陆续扩充教学设施，增聘女性教师，扩大招收各乡女童入学，至民国十五年(1926)该校第一班学生毕业时，已有女教师三人，学生七十馀人。此时，先生更在兴办女子小学取得一定成绩的基础之上，进而创建文安县立女子简易师范。文安女校之规模因而益臻完善，四境之内，弦诵相闻，邻邑企慕。老举人办新女校，更为传诵一时之佳话。

自1920年以迄1935年，先生担任文安县立女子国民学校及简易师范校长达十五年，始终义务任职。除主持校务外，尚时常深入课堂，校课诸生学业，勤勉忘倦，深得全校师生之敬爱与乡里之赞誉。

十年树木，百年树人。民国初年，文安县妇女人才辈出，先生启迪之功，不可泯也。

黎元洪与北塘贫民小学

于 辉

光绪四年(1878),清政府调整大沽海防,把黎朝相所在的一支清军调往北塘炮台，驻守东大营。随黎同来北塘的,还有他的妻子及十四岁的儿子黎元洪。

黎元洪定居北塘后,即在学究张子仰先生处读私塾。之后，考入天津水师学堂。民国三年(1914),黎元洪已为中华民国副总统。是年,在北塘为其父营造墓地。想到自己少年时曾在此受业,缅怀旧日往事,拨给北塘镇公所一块芦苇地和两千元中国银行的股票,资助镇公所办一所学堂。镇公所据此借广慧寺为校舍,办起了北塘贫民小学。镇上的知书者,感于黎元洪的义举,义务担任学校的课程。因而,学校每年只向学生收两元学费。这就给贫民子弟提供一个上学的场所。

由于黎元洪的倡导,贫民小学设置了算学、国文、公民等课程。它比私塾,无论是教学内容,还是教学方法,都显示出先进性。因而,原在私塾读书的,也纷纷转读小学了。渐渐地,私塾被小学所取代。

历史造就的一段因缘，使黎元洪对北塘早年教育做出了贡献。

耀华中学的"特班"

曹继宗

耀华中学的"特班"成立于1937年,与日寇大举侵华有关。"九一八"事变后,白山黑水沦于敌手,全国人民同仇敌忾,抗日热情空前高涨。1934年在河北省体育场举行的第十八届华北运动会上,天津市南开中学学生高呼抗日口号:"还我河山!""勿忘国耻!""勿忘九一八!"向在场的日本总领事示威。在全场的一片嘘声中,迫使这位总领事退场。

这件事激怒了日本帝国主义,对南开中学时刻伺机进行报复。1937年"七七"事变之后不久,日寇在7月底进占天津时,日本飞机对南开中学狂轰乱炸,其目的是摧毁这所抗日学校,迫使南开师生无地容身,陷于失业失学的绝境。

岂知,当时耀华中学的校长赵天麟(君达)不畏强暴,大义凛然,当机立断,巧妙安排,在1937年暑假后,新学年开始时成立特班(原有的耀华师生称正班),将南开中学的全体师生转移到耀华特班来上课。每天特班的上课时间为下午4点到晚上9点(正班每天的下课时间是下午3点30分),正特班学生你来我走,互不影响,秩序井然。

赵校长办的这件事得到了南开中学师生的交口称赞，但日寇却认为这是对他们的又一挑战。因为赵校长平时不许耀华中学开设日文课，并坚持在学校悬挂国旗，领导学生唱国歌等事，使得日寇对他恨之入骨。终于，在1938年6月27日，日寇派遣两名特务，在伦敦道(今和平区成都道)上，暗杀了这位爱国的教育家。

孟恩远"捐献"体育场

孙树芳　孙　赜

1919年，北京政府的将军府惠威上将军孟恩远被张作霖轰出了东北，回到老家天津南郊，在西泥沽住了一阵子之后，便在天津"租界"买了座小洋房，做起"寓公"来。为了给自己独生的傻儿子留下基业，他又买下南开中学南边的一大片荒地，准备盖房出租。后来由于孟恩远和他手下的原吉林省财政厅长刘壬三、长春道尹孟秉初等人投资创建福星面粉公司，他便无多馀资金在这片荒地上建房了。

日久天长，这片荒地自然而然地形成了一个群众游艺场所，除了有打把式卖艺的，还有些卖吃食的。锣鼓声、叫卖声整天响成一片，闹得北边的南开中学上课大受影响。于是校长张伯

苓找到孟恩远，要买下这片地，给学校当操场。孟恩远说："这块地我是用十五万元买的，既然贵校要用，就拿十万元吧!"张校长说："您孟将军也是办惠威小学闻名乡里的，我看您这块地就半捐半卖吧，明年我一定给您送五万块钱来。"这样，南开中学就把这块地方用围墙圈起来了，在里边划出足球场、篮球场、跑道和田赛区，从此南开中学有了自己的专用体育场。

一年后，孟恩远派管家到学校找张校长要钱来了。南开中学无钱可付，于是张校长去找住在租界的校董徐世昌研究对策。徐世昌听张伯苓讲完事情的原委之后，约张跟他一道去找孟恩远。

孟恩远刚刚写好的"一笔虎"正摆在写字台上，徐世昌拿起来看了看，说："这个'虎'字最后一竖笔力太弱，也短了一些，成了秃尾巴'虎'了！"徐要孟恩远再写一个给他看看。

当孟恩远写到一竖时，徐世昌在字台前双手抓住了纸的上边两角，一边说："运气，行笔……"一边用手平稳地向怀里拉纸，直至这一竖长度恰到好处时，徐才住手。

孟恩远放下笔，把新写的这个"一笔虎"挂到墙上一看，果然比自己过去写的好得多，尤其那一竖，笔直有力，确实显出了"虎威"。孟恩远高兴地信口问道："恩师，您看我交多少元学费呀?"徐世昌答，无需多交，给五万块钱算啦。孟恩远说他这下野的将军拿不出那么多钱。徐世昌不动声色，说："这钱，张校长早替你交啦！"说完，和张校长一起大笑起来。

不过，孟恩远也没吃亏，以后他按老师教他的方法，让管家站在字台前与他配合，写出来的"一笔虎"也价值千金，达官、巨贾登门求索者络绎不绝。

《文安县志》列入美国国会图书馆珍藏

陈嘉祥

文安县位于河北省中部，大清河下游，邻接天津市，为一古邑，汉时即已置县。《文安县志》初创于明崇祯己巳年(1629)，续于清康熙癸丑年(1673)，至民初，已历二百四十馀年。清朝倾覆，民国肇建，原县志所载，多有缺失，急待修订。县令陈祯首先倡导，县邑各界咸予赞助，并公推名儒陈德沛先生主其事。先生系光绪癸巳科举人，历任工部主事、礼部祠祭司主事、太常司员外郎，学识宏博，敏富文藻。其时参与纂修志书者数十人，皆一时之选。群策群力，众志成城。自民国九年开始筹划，经两年之征集、整理与编排，至民国十一年(1922)冬月，新县志编成出版，全书近五十万字，分装十二册，上下两函。内容之丰富，体例之严谨，载记之翔实，文词之雅丽与印刷之精美，堪称一代志书之冠。其中“物产”一章，尤为详赅，对文安所产动植物，均能状其形，志其性，辨其源，识其用，最具特色。天津严修(范孙)先生曾为该志亲笔书序，倍加推许。北京《晨报》亦曾刊专文广为介绍。惟该书仅印行八百部，且近数十年来，动乱频仍，多有损毁，目前在国内已难得见。

笔者有友旅居美国，近接其来信称，美国国会图书馆收藏我国志书甚丰，康熙癸丑年版及民国十一年版之《文安县志》，该馆均有收藏，且列为珍本。

世间之物，难得易失者，以书籍为最甚。每一朝代更迭，每一动乱发生，书籍无不遭罹厄运，尤以志书为甚。人多不重其用，视珠为砾，任意毁损而不知惜！今不意我国地方志书在大洋彼岸竟被列为珍藏，殊值深思。

长芦盐场的徽志

靳怀义

1914年3月，福建盐运使拟就一个“盐务巡船旗式”，由财政部转呈袁世凯，得以批准颁行。旗式呈长方形，画有两条对角线，线的夹角各有一个小正三角形，系为大写的“卤”字之意。旗底为蓝色,对角线及小三角形均为白色。当时的长芦盐运使陶家瑶与长芦稽核公所华人经理严璩、洋人协理郑永昌,经商议,仿照“盐务巡船旗式”拟定了长芦徽志。徽志上下呈长方形,中间有一蓝色正菱形,菱形内图案与“盐务巡船旗式”相同。不同的是,菱形两侧有长芦二字,徽志以白色为底。长芦职员皆戴此徽。

1935 年 11 月,日本帝国主义操纵汉奸殷汝耕在通县成立“冀东自治政府”,划入冀东二十二县。同年 12 月,国民党南京政府在北京成立“冀察政务委员会”,宋哲元任委员长。当时,伪冀东自治政府采取的国旗为五色条旗,冀察政务委员会当然用青天白日旗。长芦盐区地处两个政权之间,海河以北的芦台场全部及丰财场北部属宁河县,归伪冀东自治政府管辖。海河以南的长芦运署及丰财场南部属天津,归冀察政务委员会管辖。当时,除节日悬挂国旗,机关平日也举行升旗仪式。海河以北若悬挂五色条旗,即为丧权辱国之举,若悬挂青天白日旗势必引起一场政治纠纷。当时的长芦盐运使戈定远无奈,只好将“盐务巡船旗式”作为长芦区旗,赶制若干面,平日便升此旗。每逢节日此旗便飘扬在海河以北的大小盐务机关。伪冀东自治政府本欲借机滋事,始终没有得逞。天津解放,长芦区旗及徽志同时停用。

清代的天津八景

陈铁卿 遗作　王英奎 整理

远在鸦片战争以前百年，清朝中叶，有天津八景之说。其名称为三水中分、七台环向、溟波浴日、洋艘骈津、浮梁驰渡、广厦舟屯、南原樵影、西淀渔歌。

“三水中分”指南北运河汇流处的三岔河口。“溟波浴日”为海口日出。“浮梁驰渡”则是形容城东北各方面浮桥上行人车辆来往的盛况。“西淀渔歌”指武清县的三角淀，因为天津为卫时，城北一过运河即属武清，所以也把它列入。这些都属本地风光，无须细述。其馀四景要详说一下。

“七台环向”指的是明末在天津城四周水陆交通要冲所筑七座炮台。炮台原为防御清兵而筑，等到清朝入关，建立政权，反过来利用炮台来镇压人民。到清中叶，封建势力高涨到极点的时候，他们认为人民已经没有力量反抗了，就把这些炮台闲置起来，列入八景，点缀盛世。“洋艘骈津”一景是因为西方船只到津者甚多。另外，当时习惯上对福建、广东一带商船，也称洋船，有诗曰“一水渺茫浪拍天，吴侬画舫蜑人船。圣朝何意通蛮货，自为观光近日边。”“广厦舟屯”

指的是清朝皇家始建于1713年的“皇船坞”，是贮存“御舟”的处所。至于“南原樵影”则是描写城南偶尔见到打柴者的情景。清张志奇有诗道“城中鸳瓦碧粼粼，极目平原远市尘。古径寒林樵担出，分明摩诘画中人”。明代后期，曾在城南广种稻田，所以明代就把“定南禾风”做为一景。到了清代，稻田荒芜，城南一带，全沦为大芦苇坑，在那里所见到的，只有“樵影”。这些打柴的都是贫苦的人，采点芦苇售卖，维持最低的生活，极堪怜悯。

旧天津妓馆业“四大家”

刘星楠 遗稿　天　放 整理

庚子(1900)变后，日人在天津日租界内特指定旭街(今和平路)北端为妓馆区。时有商人靳、王二人，合资在闸口街路南开设了同庆茶园。又有魏某于旭街北头路西，开设了中华茶园。二茶园均以艺妓登台清唱为主，其演出内容，花样繁多，但不外是招引游客而已。在同庆登台者，其妓馆即名同庆部；在中华献艺者，其妓馆即名中华部。同庆部范围较小，所属妓馆不多；而中华部范围较广，包括旭街以东的裕德里、吉庆里，街西的利津里及鸿宾楼后一带。这些茶园的生意异常兴隆，使得这一带的地价也直线上升。当时卸任的一些军政要人，看出了这个发财窍门，纷纷凭借他们的财势，抢购了不少地皮，建起了房屋，开设了许多茶园、妓馆。最著名的有：前国务总理张绍曾购买了利津里的全部房产(属中华部)。前江西督军陈光远在南市建盖了权乐茶园(后改为权乐影院)，包括慎德里的权乐部全部房产。前江苏督军李纯之弟李馨，在老“三不管”一带，兴建了群英茶园(后改为群英戏院)，附有群英部，包括东兴市场及东兴里全部。前福建军务督办王永泉，在南市建起庆云茶园(后改共和戏院)，附有庆云部，包括新中里及新华里全部房产。这张、陈、李、王四家业主，当时人称妓馆区的“四大家”。

邪教“皈一道”

陈嘉祥

抗战时期，在敌伪统治的沦陷区内，反动会道门到处萌生滋长，受敌伪控制和利用，千奇百怪，丑恶万端，其中有一个名叫“皈一道”的组织，尤为奇特。

“皈一道”的名称，表面上好像是取义于佛教“皈依”一词(皈依原指佛教的入教仪式，后来泛指全心全意信奉佛教或其他宗教组织)。但是皈一道却崇尚万教皈一，信一切神佛，并供奉邪神无生老母和铁拐李等，每天课业惟以叩响头为事。入道者，每天须面向西方跪地大叩响头三百个(第一次入教时须叩响头三千个)，且姿式必须保持五心(手心、脚心和头心)投地。

皈一道的头目张树林，山东夏津人，自幼不务正业，五十多岁开始以邪教传道，宣称信仰该道可免灾受福，并自称为皈一道的第四代传人。“七七”事变以后，在敌伪卵翼下，他大肆活动，一时受其欺骗的群众，竟有千百人，分散在山东、河北和河南等地。后来该道由山东迁到天津，在八区(今河北区)韩家店大街六号设道。抗战胜利后，该道挂起一个织毛巾工厂的招牌作为掩护，继续以邪说惑众，里面共有骨干信徒三十馀人。

1947年3月，经人检举揭发，国民党天津市政府将该道查禁。当时该道道首张树林已经八十多岁，染患疾病，卧床不起。代张主持道务的叫安同和，是张的大弟子。从外表观察，该道道徒穿着打扮都很普通，工房和住室也没有什么特异的地方。但当他们把帽子去掉后，作为皈一道道徒的特征便显露出来了。人人头顶前部都隆起一个肉疙瘩，小的如半个核桃，大的如半个鸭卵，红紫血痕，灼然可辨，这自然是他们每天大叩响头得到的报偿!安同和头顶上的疙瘩最为巨大，大概也是他能取得大弟子地位的主要原因。安同和对该道以邪说惑众的罪行，最初尚闪烁其词，拒不承认。当道徒头上异物暴露以后，安同和始将该道供奉的邪神牌位和一些迷信书籍交出，并具结悔过，从此“皈一道”消亡。

潮河银鲜

靳怀义

我国近海银鱼，当属津沽、长江口、太湖为佳。津沽银鱼，多在严冬季节穿冰捕捞，其味似清鲜黄瓜，故誉为银鱼冰鲜，简称银鲜，乃长江口、太湖的银鱼所不能相比。

津沽银鲜产域主要有二：一是卫河，即南运河；一是潮河，即蓟运河。潮河水阔流深，较卫河所产丰富。民国年间，北起宝坻黑狼口，南至汉沽、北塘，河面弯弯曲曲二百里。一进农历腊月，相隔数里便有三五渔者拦河镩冰，所镩冰沟长十馀丈，宽三馀尺，将一种唤作“掴子”的网下到河底。网之长宽同于冰沟，网口有数根小棍支撑，高尺馀，间距相等。沉到河底，网口逆流而张，待鱼游入。潮平起网，起后掉转网口。每网捕得十数斤，多者二三十斤。

潮河银鲜长约三至六寸，长者粗如指，短者细如箸。雌鱼较肥，雄鱼较瘦。尚有金眼、银眼、红眼之分，以金眼者为佳。河段不同，品质各异。梁城(宁河旧城)至下坞村呈金眼，馀者呈银眼、红眼。其食法以油炸为主。先将鱼眼挤掉，后将鳃肠揪出。为防止面糊起皮,须蘸少许干面,再裹蛋清面糊炸之。亦有涮火锅者,鲜味不亚于牛羊,故沿河一带有"陆上牛羊河底鲜"之说。

明永乐间,朝廷设宝坻银鱼厂,将银鱼作为贡品收走。由于产量有限,隆庆间令只为京城庙祀上供之用,派中官(中使)专门采办。宝坻通判范兆详曾作一诗:"潮河吞吐海潮回,宫厂黄旗压境开,弦诵喧啾无犬吠,却惊中使打鱼来!"当年景象跃然如画。民国年间终止纳贡,银鲜价钱依然昂贵。天津城多以雌雄为对售之,其价高于河鲫海鲙数倍。潮河沿岸城镇,一个劳力一日工钱,只购二十馀条雌鱼,雄鱼虽贱,亦只购得二斤而已。

20世纪50年代,河口处修筑防潮闸,银鱼不能入海繁衍而濒于绝灭。近年潮河下游之营城人工养殖成功,昔日潮河银鲜复生,喜为记。

蒲松龄与煎饼馃子

张　仲

煎饼馃子不但是著名的"津门小吃",现在也成了风靡全国的小食品,大有"汉堡包"初时崛起的态势。

但是,煎饼馃子从何而来?

三百多年前,写过《聊斋志异》的蒲松龄老

先生笔下，显示出这种饮食文化的踪迹。他在清康熙初曾撰《煎饼赋》。他说“煎饼之制”的过程是：先“溲合米豆，磨如胶饧”。即把米、豆一类谷物用水浸泡，然后用磨(当然是“水磨”)磨成较稠的浆汁。怎样把浆摊成熟食品呢?则“扒须两歧之势(式)，鏊为鼎足之形。掬瓦盆之一勺，经火烙而滂溯，急手而左旋，如磨上之蚁行”。这是说，把米、豆浆放在盆里，舀上一勺，放在烧热的铁铛(昔年用有三个爪儿的“鏊”，俗称“鏊子”或“鏊盘”，是专用于烙饼用的平锅)上，用扒子急急去摊平，便“黄白忽变，斯须而成”。它的形状“圆如望月，大如铜钲，薄似剡溪之纸，色似黄鹤之翎”。

蒲老先生笔下的山东煎饼，同现在天津的煎饼一模一样，连摊煎饼用的扒子都古今如一：天津用竹木制的小小丁字扒，扒头不仍然是“两歧之式”吗?但过去山东吃煎饼是把它当做主食品，类似馒头、大饼的功能一样。同时也有一种“菜煎饼”，是把炒熟的豆芽、韭菜、白菜、萝卜丝之类，卷而食之。这应当是天津煎饼馃子的雏形。天津邻近山东，清初移民中有很多山东人，就把煎饼带到天津。天津人又把“菜煎饼”发展成了“煎饼馃子”，而且材料中用了爽口的绿豆，浆里又加上虾皮、葱花，摊熟后卷上“长批儿”果子，抹上面酱，更为有滋有味。

后记

网罗散佚,拾遗记微,期作正史之补,兼充精神文明建设之助,是本书编写的宗旨。

内容以文史为主,时限以清末至1949年为主,文体以白话文为主,史料以亲见、亲闻、亲历为主,题材以介绍天津轶闻为主,稿源以天津市文史研究馆馆员为主。这六个为主,是本书组稿的方针。

必有可征,必有可读与必有可鉴,是本书审选稿件的标准。

本书的编写,荷承本馆全体馆员及天津各界文史专家鼎力襄赞,名篇佳作,异彩纷呈。尤多史料珍贵、文笔清新、韵味浓郁之力作。

《鲁迅先生与未名社二三事》,系文坛耆老李霁野先生撰写,通过对鲁迅先生工作、生活细节的记述,再现了一代文学大师对年青人的关怀和帮助,实为史料性、可读性俱佳之作。

津门民俗专家刘炎臣先生，几十年笔耕不辍，如今虽已是耄耋之年，仍为本书撰稿数十篇。今选刊九篇，史料珍贵，行文严谨，堪称佳作。

馆员李邦佐，20世纪40年代演出《升官图》时，因找不到合适的旧军服，竟穿上其父北洋政府的将军李廷玉的将军服登上舞台。《将军服上舞台》详细地记录了这段艺苑轶事。

本书在编辑过程中，承丛书副主编吴空同志亲切关怀，又蒙特约编审刘北汜同志审阅修订，在此深表谢意。

本书的编辑小组由王大川、陈嘉祥、王者师、钱钢组成。编者水平有限，编排论次，必多不当，尚祈读者不吝赐正。

编　者